中華民國中山學術文化基金會中山文庫

認識古籍版刻與藏書家

劉兆祐著

臺灣學生書局印行

再版說明

中山學術文化基金會為加強青年及一般國民之通識教育，特於民國八十五年主編「中山文庫」一套，內容以人文、社會、科技為主軸，邀請海內外專家學者撰寫，計共百冊，每冊十萬字為度，俾能提倡社會讀書風氣，形成書香社會。交由臺灣書店印行，現該書店業已結束經營，而文庫諸書亦多已售罄。基金會即商請再版印行。本書局在臺成立四十六年，主要以提倡學術文化，建立書香社會為職志，而文庫之內容簡明扼要，論述鞭辟入裏，必能裨益學林，遂欣然同意陸續規劃發行。爰以再版在即，敘述緣起如右。

臺灣學生書局　謹啟

中華民國九十三年九月

序

中山先生不僅是創立中華民國的　國父，而且也是廣受國際人士推崇的一位偉大的思想家。中山先生自謂其思想學說的主要淵源，乃係數千年來中華民族文化的一貫道統。而孔子的大同思想，尤爲其終身所嚮往。故中山先生一生欲謀解決的，乃是中國和全世界人類的共同問題。他的思想學說之所以能夠受到各國有識之士的重視，自非無因。

蔡元培先生所撰之「三民主義的中和性」一文中，談及古今中外許多思想家和政治家所提出的解決人類問題的主張，大都趨向於兩個極端。例如中國法家的極端專制，道家的極端放任。又如西方人士主張自由競爭的，則要維持私有財產制度；主張階級鬥爭的，則要沒收資本家的一切所有，這些都是兩極端的意見。而具有「中和性」的三民主義，則是「執其兩端，用其中」，主張不走任何一端而選取兩端的長處，使之互相調和。所以蔡先生說：「能夠提出解決人類問題的根本辦法的，祇有我們孫先生，他的辦法就是三民主義。」因此蔡先生一生服膺三民主義，成為中山先生最忠實的信徒。

從中山先生傳記中，可知他青年時期所接受的是醫學的專業教育，故對自然科學具有良好的基礎。加以他博覽中國的經史典籍，並精研西方的「經世之學」，所以他的思想學說，實涵蓋了人文、社會及自然科學的各種領域。因而他對達爾文的進化論、馬克斯的唯物史觀以及西方的資本主義，均能指出其錯誤和偏差。而中山先生一生主張「把中華民族從根救起來，對世界文化迎頭趕上去」。正如孔子一樣，他眞正是一位「聖之時者」的偉大人物。

中山先生常言：「有道德始有國家，有道德始成世界」。環顧今日國內則社會風氣日趨敗壞，「四維不張」，人心陷溺，而國際間則爾虞我詐，戰亂不息。在整個世界人人缺乏安全感的環境中，我們更不能不欽佩中山先生數十年前的眞知灼見。他這兩句特別重視道德的「醒世警語」，實在是人類所賴以共存共榮的金科玉律，更為一種顚撲不破的眞理。今日由於交通及電訊的便捷，有人常稱現在全世界爲一「地球村」，但如在此地球村生存的人沒有「生命共同體」的意念，則所謂地球村，僅係一空洞名詞。中山先生所遺墨寶中，最常見者爲「博愛」與「天下爲公」數字，我們倘能廣爲宣揚他這種「爲往聖繼絕學，爲萬世開太平」的理念，則大家所居住的地球村，將可呈現一片祥和的景象，使人類獲得永久的和平與幸福。

中山先生一生特別強調「實踐」的重要，故創有「知難行易」的學說。所以我們今日研究中山先生的思想學說，似不宜專注意於其理論的層面，而應以中山先生思想學說的重要理念爲基礎，進而參酌各種學術研究的最新成果，與世界潮流未來發展的趨勢，以及我國社會當前的實際需要，藉使中山先生思想學說的內涵，能不斷增補充實，與時俱進，成爲「以建民國、以進大同」的主要指標。

中山學術文化基金董事會自民國五十四年成立以來，即以闡揚中山先生思想及獎勵學術研究爲主要工作。余承乏董事長一職後，除繼續執行各項原定計畫外，更邀請海內外學術界人士撰寫專著，輯爲「中山叢書」及「中山文庫」。同時與報社合作，創刊「中山學術論壇」。此外，復就中山先生思想體系中若干易滋疑義之問題，分類條列，悉依中山先生本人之言論予以辨正。務期中山先生思想在國內扎根，向國外弘揚，並進而對促成中國和平統一大業能有所貢獻。

劉真

中華民國八十三年六月

於中山學術文化基金會

自序

這些年來，一方面從事教學研究工作，一方面也很關心社會文化的現象，因此，偶而把研究心得及思考所得，用通俗的寫作，發表於報章雜誌。其中比較有系統的，是先後在《民衆日報》、《臺灣時報》、《中國時報》及《中央日報》等報紙副刊上所寫的專欄。在《民衆日報》上的專欄名爲〈學林雜帖〉。寫作時間約在一九七九年到一九八〇年，寫的都是以一個學術研究者的立場，評論社會病象。在《臺灣時報》的專欄名爲〈象牙塔外〉，寫作時間約從一九八六年到一九八七年間，內容比較偏重於評論教育文化的弊端。在《中國時報》的專欄有兩個：一是〈市井觀察〉，一是〈書林談趣〉，寫作時間大約都從一九八八年到一九八九年間；〈市井觀察〉，是從一個小老百姓的立場，旁觀、評論社會百態；而〈書林談趣〉則較知識性，是把有關古籍的知識、趣聞，用深入淺出的方法寫出，與讀者分享。在《中央日報》的專欄名為〈藏書家與藏書章〉，寫作時間從一九九〇年到一九九一年間，內容是介紹歷代藏書家的生平、藏書內容、藏書章及相關的軼聞軼事。這些專欄，共數百篇，前後十餘年。每個專欄的內容雖各有所重，但寫作這些文章的目的則一，那就是筆者一方面想從文化的角度探討社會現象，一方面則希望大家能從培養讀書風氣開始，以豐富精神生活，改善社會風氣，提升文化水準。

提升文化水準的方法很多，「書香社會」的建立，是人們最常提及的方法之一。要建立「書香社會」，最基本的條件是大家要肯買書、讀書、藏書。可是看看國內的出版品，除了少數財經、政治的書籍外，一般的所謂「暢銷書」，也不過數萬冊而已。學術方面的著作，除了教科書及考試教材，通常能賣出一千冊以上者已不多見。在這種買書風氣淡薄的情形下，要想建立「書香社會」，猶如緣木求魚。因此，提倡買書、藏書是構建「書香社會」的第一步。

這使我想起了古代的藏書家，懷想、羡慕他們坐擁書城，面對琳琅的生活情趣。

當然，現代人們的生活方式和環境，和昔日大不相同，譬如現在出版業發達，獲得圖書容易，所以對圖書的珍惜不如前人；現在傳播知識的工具多樣化，汲取資訊的管道也不限於圖書，圖書的種類又繁多，這些也都多少影響購書的意願；加上住宅狹隘，生活忙碌，這些都不如昔日的藏書條件。不過，在居所狹窄，生活緊張的不利條件下，如能在買書、藏書的方法上，增加一些情趣，也許可以增進買書、藏書的誘因，也仍然可以享受到前人藏書、讀書的快樂。譬如爲自己的小書房取個有意義的室名，在自己的藏書上鈐上一些有趣而美觀的藏書章，在侷促而狹隘的書房，使不很多的藏書也能展現一室的特色和水準，還是可以做到的。本書特地介紹了二十四位古今藏書家，也就是希望從認識他們有趣的藏書方法和過程中，獲得一些啓示，也許有助於增加我們買書、藏書的情趣，進而促進大家買書、藏書的習慣。

近數十年來，隨著學術類別的分工愈細，各人所學愈趨專精，大家對文學作品的接觸越來越少，對古籍的閱讀和認識，更是越來越淡薄了。其實，文學和音樂、美術一樣，不論從事任何行業的人，都必需閱讀欣賞的，而古籍中蘊涵的前人智慧和優美的文學作品，更是今日人們的生活中不可或缺的精神泉源。今日人們生活所使用的物質雖是現代科技的產物，但是所追求的生活境界，仍是嚮往著古典文學中的優閒與清淨。因此，如能時常閱讀古典作品，不論是洋溢哲理的經學與子書，或是記錄人類進化的史書，或是表現智慧結晶的詩詞、散文、小說、戲曲，都能豐富現代人日趨枯竭的精神生活。

有人認爲，「古籍」離開我們太遙遠，因此，閱讀古籍，必然是痛苦困難的！其實，祇要你翻開古籍，一定會發現閱讀古籍其實是一件愉快的事。除了古典作品裡高深的智慧與典雅的文句外，古籍古樸的文字、精緻的插圖、名家的題跋等，都是很引人入勝的。而想要進一步瞭解古籍刊刻的過程，譬如古籍的套色印刷是怎麼進行的？古籍的裝訂方式有幾種？古籍版式的行款如何？這些，都是屬於古籍版刻的知識。如果讀者對古籍的版刻具備了基本的認識，一定會驚嘆讚美古人在印刷方面的智慧，進而或可增進閱讀古書的興趣。

多年前所寫的〈書林談趣〉專欄，就是敘說古籍版刻的一些趣聞；〈藏書家與藏書章〉專欄，則是談論藏書家的軼聞軼事。不過，在報紙上發表的文章，由於篇幅的限制，每篇字數很短，很多珍貴圖片也沒能刊出。現在，承「中山學術基金會」之邀，筆者以這兩個專欄爲基礎，重新改寫、增補，同時也加寫了一些篇章，使其內容更有系統、更爲具體，除了維持淺顯、有趣的特色外，並加入了較多的知識性資料和不少圖片，以方便讀者圖文對照。

希望這本拙著，對書香社會的構築有所助益。

本書稿成，曾送請國立故宮博物院副院長昌瑞卿（彼得）教授審閱訂正，復蒙中山學術基金會及臺灣書店多所協助，始克出版，在此申致謝忱。

劉兆祐 謹識

中華民國八十六年五月

目次

下篇　認識藏書家

上篇——認識古籍版刻

緒說

根據迄目前爲止所發現的文獻，中國早期的文字，是寫在龜甲或獸類的肩胛骨上，這些文字，稱之爲「甲骨文」。不少龜甲上面都有穿孔，因此，考古學家懷疑早期有人把這些刻有文字的龜甲，串編成册，稱之爲「龜册」，這可能是中國最早的書籍形式。後來把寫有文字的竹簡織編成册的，稱之爲「簡册」。「簡册」，也可寫作「簡策」。現在臺灣話裡的閩南話，讀書叫「讀册」，可見它是很古老的語言。到了漢代，造紙術發達以後，才出現以紙爲書册的形式。

從漢代到唐代，在雕版術發明以前，中國的圖書，都是用抄寫的。所有用抄寫的書，統稱之爲「寫本」或「抄本」；由雕版方式印成的書，統稱之爲「刊本」或「刻本」。

中國的雕版術是什麼時候發明的？隨著考古學的發達，有很多的說法。一般的說法是五代後唐長興三年（西元九三二年），馮道（西元八八二年－九五四年）奏請依石經文字刻九經印版，是中國正式有雕版圖書之始。「九經」，是儒家的經典，至於佛經及其他記載陰陽、占夢、相宅之類的圖書，可能在唐代就用雕版技術印行了。清代光緒二十六年（西元一九〇〇年），在甘肅省敦煌縣鳴沙山的石窟裡，發現了印本《金剛經》的卷子，在手卷的最後印有「咸通九年四月十五日王玠為二親敬造普施」十八個字。「咸通」是唐懿宗的年號，九年相當於西元八六八年，比馮道奏請雕版「九經」早六十多年。同時，敦煌所發現的《金剛經》，字體的雕法，技術圓熟，線條強勁有力，因此，可以推論在西元八六八年前的一段時間，中國已經懂得以雕版印書了。

在雕版印刷術發明後，中國的印刷不斷的進步。宋仁宗慶曆（西元一〇四一年－一〇四八年）年間，畢昇發明了活字版。活字版也由最早的泥活字而木活字，再進步到銅活字和鉛活字。同時在元代至正年間（西元一三四一年左右），也發明了套色雕版，使印刷由單色邁向彩色。其他與印刷業有關的技術，如圖書的裝訂法、紙張的改進、插圖的雕鐫等，也都日益進步。所以從宋代以後，研究古籍版刻相關的知識，漸漸成為專門的學術，後人把這門學術稱為「圖書版本學」。舉凡雕版的方式、版式的行款、圖書的裝訂、插圖的繪雕、套色的方法、雕版的字體，以至版本的僞造、鑑定等等，都是「圖書版本學」討論的題目。所以，要認識古籍的版刻，可能要看一些版本學的專書。但是，目前市面上版本學的專書，太過深奧，只適合專治這門學問的學者閱讀，迄今還沒有一部用淺顯有趣的方法，為一般讀者談論古籍版刻的著作。筆者撰寫此篇，即僅擇取一些一般讀者所想要瞭解的問題為題目，分為二十二篇撰寫。這些文章所談論的，包括刻工、行款、紙張、裝訂、插圖、版本名稱、活字及其他與版刻有關的知識，並都附有珍貴的圖片。相信讀者讀了這些文章，對古籍的版刻，可以得到基本的認識，當你接觸到古籍時，除了欣賞文章外，對古籍本身也可以研究一番。

傳續古人智慧的一雙手

——談古代刻書的工匠

從雕版印刷術發明後，我國流傳的古書，大部分是刊刻的本子。

要雕鐫一部上品的好書，必須具備的條件很多，譬如採用紋理好，軟硬適度的木材，常用的是梨木或棗木；刷印時用質料好的紙張和油墨。而技術精湛的刻書工匠，更是必要的條件。

刻書的工匠，習慣上稱之爲「刻工」。

「刻工」雖然不需太高深的學問，但是除了操刀要快要好以外，並且還要有負責的敬業精神和良好的書法修養。

爲什麼說刻工需要有負責的敬業精神呢？因爲刻工如果不敬業、不負責，當他承刻一部書的時候，也許就會發生錯字、奪字、衍字等現象，甚至任意竄改或增損文字。我們常說「明人刻書而書亡」，也就是說明代人刻書時，常任意改字，甚至連書名都會改。當然，改字的責任，不一定全在刻工，有時候是出錢刻書的老闆改的，有時候是寫字上版的人所擅改的，但是，有些則是刻工造成的錯誤。

通常一部書由一個刻工包辦完成，但是，如果篇幅太大，或是要趕工，就由好幾個刻工一起雕刻。爲了表示負責，也爲了方便按字計酬，通常會在書的版心或是書口的部位，刻上自己的姓名和每頁的字數。臺北國家圖書館有一部元代後至元三年（西元一三三七年）刊刻的《慈谿黃氏日鈔分類》（宋黃震撰，九十七卷），書中的刻工，多達將近七十人。

刻書是一件辛苦的事，他們的待遇又怎樣呢？現在關於宋元兩朝刻工價錢的計載很少，葉德輝的《書林清話》，有一則是〈明時刻書工價之廉〉，曾談到明代刻書的工錢很低廉。光緒年間的丁丙，在他所撰的《善本書室藏書志》（卷二十九）著錄了一部明代嘉靖年間刊刻的《豫章羅先生文集十七卷》。丁氏說這部書的〈目錄〉後有一塊木記，上面寫著：「刻版捌拾叁片，上下兩帙，壹佰陸拾壹葉，繡梓工資貳拾肆兩。」算起來，每葉的工資約一錢五分銀子，通常一葉約四百字，照這樣看來，刻工的待遇的確不是很好。

宋代和元代的刻本，不少都標明了刻工，後來的人常常用它做爲研究書本刊刻時代的依據。例如宋代刊刻的《東觀餘論》，從前人不能確定它刊於宋代的那一個年代，後來發現書中所署的刻工有個叫「陳靖」的，也出現在南宋寧宗嘉泰四年（西元一二〇四年）刊刻的《東萊文集》，根據這個證據，就可以得知《東觀餘論》刊刻的正確年代了。

這裡的附圖，是宋刊本《新刊校定集注杜詩》的書影，原書現藏臺北的國立故宮博物院。版心上端的「三、八十六」，就是這一葉的字數，大小合計三百八十六字。下端的「余中」，就是刻工的姓名。

千金於臺上、以延天下之士、故稱爲黃金臺、趙云、臺在燕地、昭王所築、以禮郭隗、而繼得樂毅也、幽燕既平、盡屬王化、其黃金臺上賢俊復集也、

右九

漁陽突騎邯鄲兒見十一卷漁陽詩注、漁陽突騎、邯鄲遊俠、其豪俊勇決、古有名稱、趙云、漁陽燕州也、漁陽突騎四字、則漢光武克邯鄲、置酒高會從容謂馬武曰、吾得漁陽上谷突騎、欲令將軍將之、蔡邕曰、冀州強弩幽州突騎天下之精也、邯鄲趙州也、邯鄲兒則如幽并兒之類爾、酒酣並轡金鞭垂高祖過沛留置酒酒酣、意氣即歸雙闕舞雙闕即帝闕也、雄豪復遣五陵知五陵漢之五陵、亦豪俠所聚之地、趙云西都

注杜詩卷八

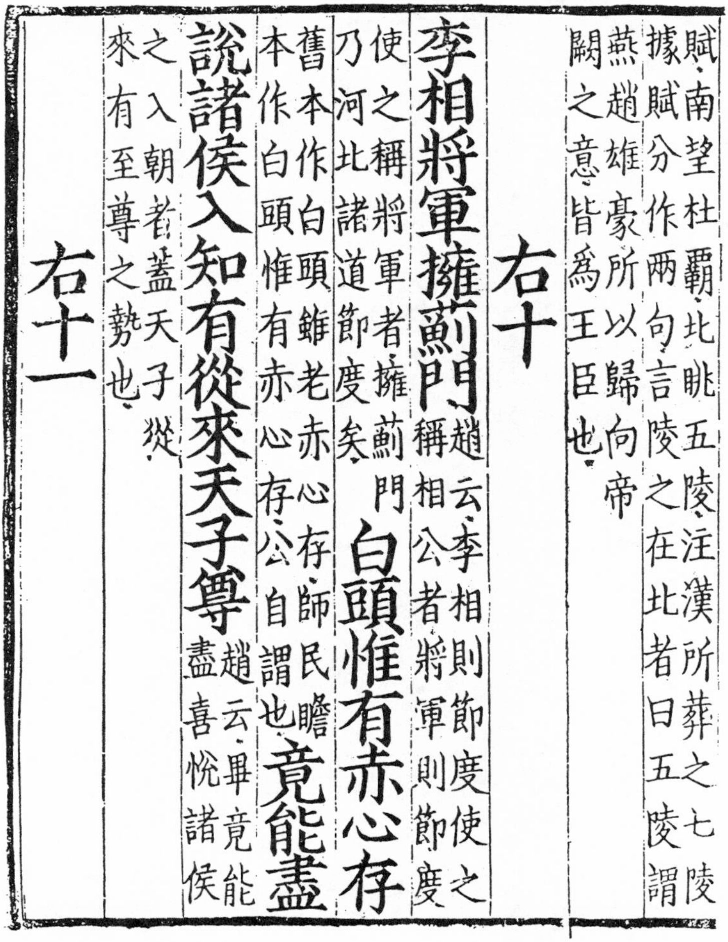
賦、南望杜霸、北眺五陵、注漢所葬之七陵
據賦分作兩句言陵之在北者曰五陵謂
燕趙雄豪所以歸向帝
闕之意皆爲王臣也
右十
李相將軍擁薊門趙云、李相則節度使之
稱相公者將軍則節度
使之稱將軍者擁薊門
乃河北諸道節度矣白頭惟有赤心存
舊本作白頭雖老赤心存、師民瞻
本作白頭惟有赤心存、公自謂也、竟能盡
說諸侯入知有從來天子尊趙云、畢竟能
盡喜悅諸侯
之入朝者蓋天子從
來有至尊之勢也
右十一

〈說明文字〉 宋刊本《新刊校定集注杜詩》書影。

「做宋字」和「匠體字」

——談刻書的字體

從雕版印刷術發明後，刻書所用的字體，也有許多的變化。

目前印刷廠把長方行的字體，都叫做「倣宋體」。事實上，這些略顯長方形的字體，不僅不像宋體字，倒有點像明代所流行的「匠體字」。

眞正的宋體字又是什麼樣子呢？

一般說來，北宋時期的刻本，比較喜歡用唐代書法家歐陽詢的字體；而南宋時，則也有用柳公權及顏眞卿二家字體的。

歐陽詢，字信本，官至光祿大夫率更令，所以他的字體，稱之爲「率更體」。歐陽率更的書法，原本是學王羲之的，但是比王字勁峭，《舊唐書》說他的字「筆力險勁，爲一時之絕」。他的特色是字體略呈長方形，遒勁有力，筆畫轉折的地方輕細有角，市面上流傳的〈九成宮醴泉銘〉，最能表現這種特色。顏眞卿，字清臣，也是唐代著名的書法家，曾官平原太守，所以稱他顏平原，又因爲曾封魯郡開國公，所以又稱顏魯公。他的字，形體較寬綽肥胖，間架安排巧妙，樸實渾厚，代表作有〈麻姑仙壇記碑〉。柳公權，字誠懸，也是唐代書法家，官至太子少師，唐穆宗皇帝曾問他運筆的方法，他回答說：「心正則筆正。」他的字較瘦，但挺拔強勁，與顏眞卿齊名，人們稱之「顏筋柳骨」，以〈玄祕塔碑〉流傳最廣。這幾家書法，雖各有特色，但有一共同點，那就是都略顯長方形，尤其是歐字和柳字，更是明顯，這大概就是後人常把長方形的字，都冒充「倣宋體」的原因。

元刊本則喜歡用趙孟頫的字。孟頫，字子昂，號松雪道人，人稱趙松雪。官翰林學士承旨，所以又稱趙承旨。他精於各家書法，對於各種書體，不論是古篆、隸書、章草，無所不學。他早年學南北朝的釋智永，後來學王羲之、鍾繇等人，晚年學唐代的李邕，現在看他的字，圓肥活潑，筆畫柔軟，渾然天成，比較像智永的風格。松雪的字體，和歐、顏、柳三家，明顯的不同，所以分辨宋刊本和元刊本並不難。

到了明代，大量覆刻宋版唐人詩文集，爲施刀方便，於是發明了一種「橫輕豎重」的字體。這種字體，方便操刀，刻起來速度快，而且每一個刻工都會刻，所以很流行。這種字一點都沒有藝術美，只能說是「匠體字」。現在居然把它稱做「倣宋字」或「長宋體」，實在不適當。

刻書的字，最講究的是請名書法家或作者手寫樣本，再請刻工臨摹雕版，叫做「寫刊本」。像蘇東坡寫刊的《陶詩》，鄭板橋自寫的《板橋集》等就是，但這種寫刊本，成本很高。

最奇特的雕刻字體是明代嘉靖年間許宗魯所刊刻的《國語》一書了。許氏是正德年間的進士，官做到僉都御史，很喜歡書法，尤其是寫得一手好篆字，於是他就用小篆抄了一部《國語》叫刻工刻。可是小篆的字體是圓形，筆畫曲折，非常不容易刻，於是他請刻工把小篆改成方形，結構則大致保留小篆的樣子。結果刻出來的《國語》，字體彆扭極了，讀起來十分吃力，加上刻工文字學的造詣不足，對小篆的認識不夠，錯誤不少。所以刻書的字體，還是以美觀、正確、通用爲原則，一味的復古，不見得正確。

楚辭後語卷第一

成相第一

成相者楚蘭陵令荀卿子之所作也荀卿趙人名況學於孔氏門人馯臂子弓者尤邃於禮著書數萬言少遊學於齊歷威宣至襄王時三爲稷下祭酒後以避讒適楚春申君以爲蘭陵令春申君死荀卿亦廢遂家蘭陵而終焉此篇在漢志號成相雜辭凡三章雜陳古今治亂興亡之效託聲

〈說明文字〉　宋刊本《楚辭》。

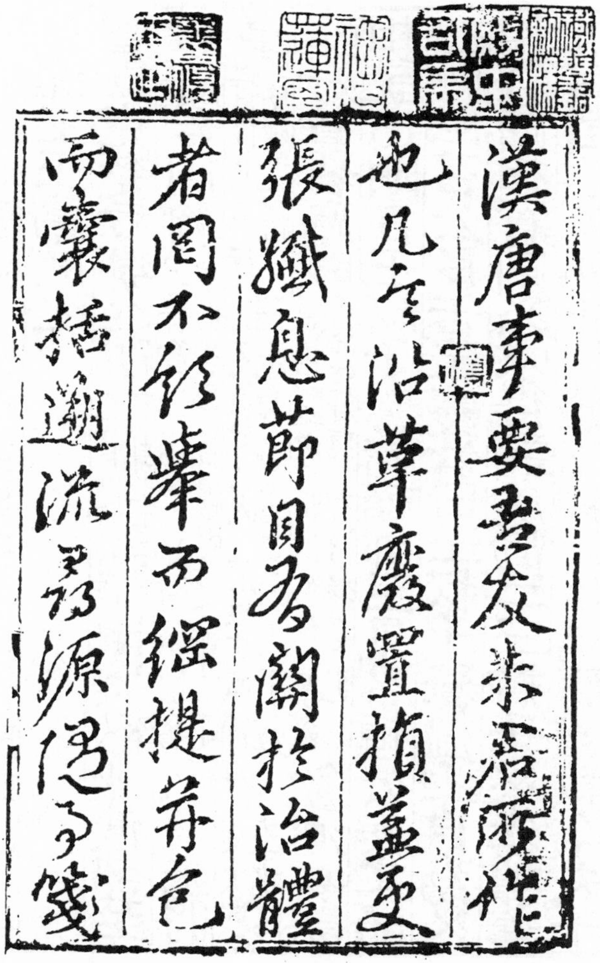

漢唐事要書及未箸所作
也凡至治革廢置損益更
張緝息節目為論於治體
者罔不綜輩而經提其包
而囊括遡流窮源俾可幾

〈說明文字〉 寫刊本的書影。

國語卷之二　周語
在賓爲介介上介　王孫說與之語說讓說好也言說
所以佐相禮儀　　　　　　　　　　　　語讓好讓
以語王王厚賄之
晉既克楚于鄢克勝也晉厲公伐鄭楚人救之戰于鄢鄢在魯成十六年使郤至
告慶于周郤至晉卿昭子步揚之孫蒲城鵲居之子溫季也告慶以勝楚之福告王也未將
事將行也未行告慶之禮王叔簡公飲之酒王叔簡公周大夫王叔陳生也交
酬好貨皆厚交酬相酬之幣也好貨宴飲以貨爲好厚者幣物多也飲酒宴語
相說也明日王叔子譽諸朝郤至見召桓公與之語
召桓公王卿士召公以告單襄公曰王叔子譽溫季以爲必
相晉國相晉國必大得諸侯勸二三君子必先導焉
可以樹二三君子在朝公卿也導者道郤至於晉侯使升郤至以爲上卿可以樹黨於晉今夫子

〈說明文字〉 用小篆刻的《國語》。

魚尾・象鼻・書耳及其他
——談版刻的行款名詞

雕版印刷術發明後，刻書的「行款」也屢有變遷。

所謂「行款」，就是指每葉的行數、字數和版面的款式。就行數來說，有半葉七行、八行、多至十幾行的。每行的字數，有少者十來字，多到二十五、六字的。

至於款式，那變化就多了。從版面四周的「邊欄」，以至版面中心的「書口」，不僅每家書坊都有特色，每個朝代也都有當時流行的款式。

從宋代版刻流行以後，爲了方便對版刻各部分的稱呼，漸漸的有了一些約定俗成的專門名詞。這些名詞，大多是根據它的形狀來命名，其中有些還是「擬人化」和「擬動物化」的，十分有趣。

為了更具體的說明，筆者用元代覆刻影宋本的《孟子》書影（附圖一）來說明：

一「版心」：也就是整塊書版的中心，它的中間線，就是摺疊的地方。一旦摺疊裝訂後，「版心」自然向外，所以又叫「書口」。如果書口的地方有粗的黑線，就叫做「大黑口」，小黑線就叫做「小黑口」，如果是刻上書名等文字，就叫做「花口」。

二「書耳」：通常在書版的左右上方，成小長方形，就像人的耳朵一樣。「書耳」裡通常刻著篇名或類名，這些文字，叫做「耳題」。

三版心上像魚尾狀的部分，就叫做「魚尾」：它的功用是用來做摺疊時的中線。一個的叫「單魚尾」；兩個的叫「雙魚尾」；偶有三個或四個的，視其數目，而有不同的稱呼。像這本《孟子》，兩魚尾方向相對的，叫「對魚尾」，如果是方向相同的，叫做「順魚尾」。黑色的叫「黑魚尾」，中空的叫「白魚尾」，中間有花紋的，叫做「花魚尾」。元刊本有不少是「花魚尾」。

四版心上下兩端的界格，叫做「象鼻」：大概是由於版心細長，很像大象的鼻子而得名。

五、用黑線或其他圖案圍成一塊，中間刻有文字的部分，叫做「木記」：也叫做「牌記」或「碑牌」，有各種形狀。裡頭的文字，有時候是刻書的書坊名稱，有時則是刻書的經過等。譬如南宋福建建陽王叔邊所刊刻的《後漢書注》，書末有一塊牌記，上面寫著：「本家今將前後漢書，精加校證，並寫作大字，鋟板刊行，的無差錯。收書英傑，伏望炳察。錢塘王叔邊謹啓。」（附圖二）有一部宋代建陽龍山書堂刊刻的《揮麈錄》，在目錄後有一塊木記，上面寫著：「此書浙間所刊，止前錄四卷，學士大夫恨不得見全書。今得王知府宅眞本，全帙四錄，條章無遺，誠冠世之異書也，敬三復校正鋟木，以衍其傳，覽者幸鑒。龍山書堂謹啓。」

六、書裡的小框框，叫做「墨圍」：如果墨圍是黑色，裡頭的文字是「陰文」（白色），就叫做「墨蓋子」。如果整塊黑色，沒有文字，可能表示缺字，就叫它爲「墨等」或「墨丁」。

七、書版四周的線，叫做「邊欄」：只有一條線的，叫做「單欄」；兩條的，叫做

「雙欄」；上下單線，左右雙線的，叫做「左右雙欄」。

八、分行的線，叫做「界格」：如果是抄本，黑色的線叫做「烏絲欄」，紅色的叫做「朱絲欄」，藍色和綠色的叫「藍格」「綠格」。

當然，與版本行款有關的專門名詞很多，這裡只提出常用的部分，供讀者們閱讀古籍時的參考。

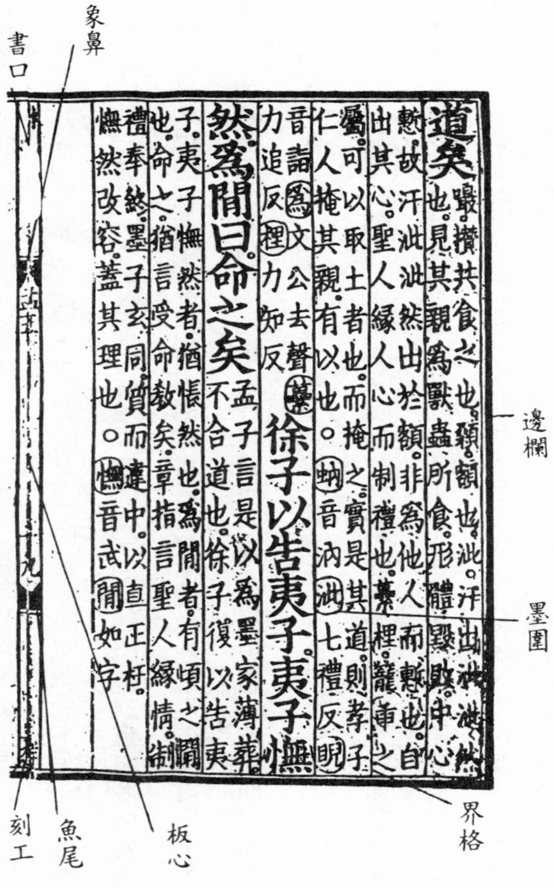

〈說明文字〉 元代覆刻影宋的《孟子》書影。(附圖一)

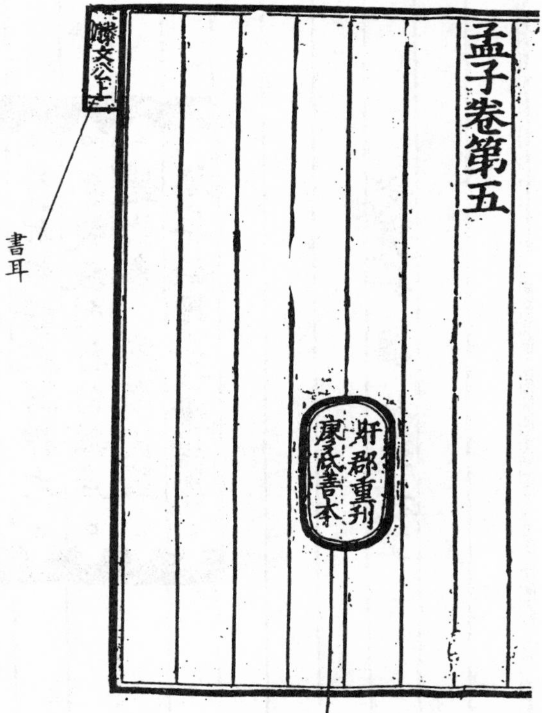

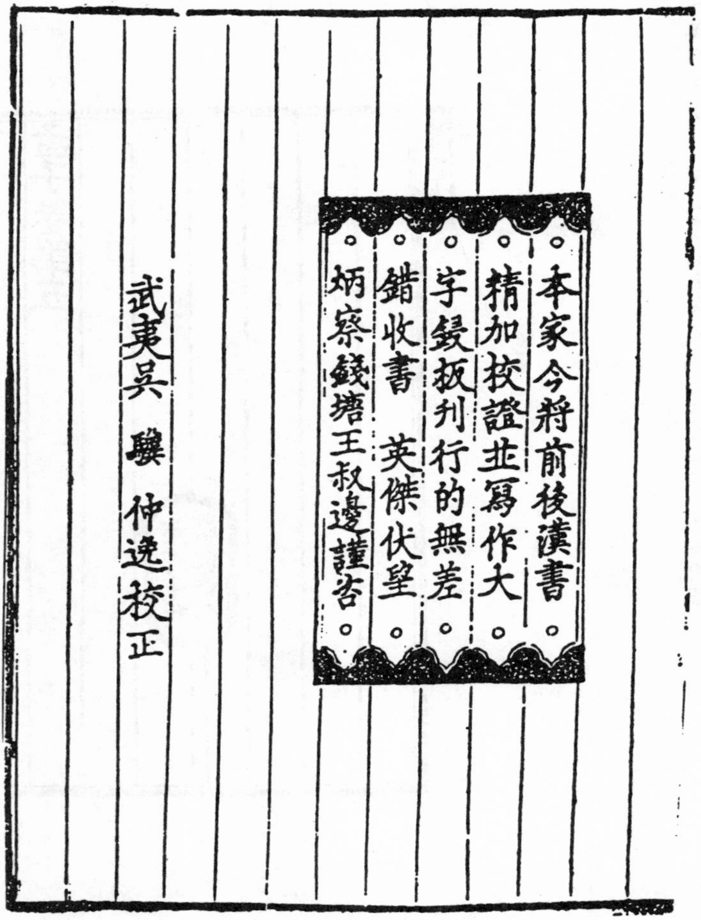

本家今將前後漢書
精加校證並寫作大
字鋟板刊行的無差
錯收書　英傑伏望
炳察錢塘王叔邊謹咨

武夷吳　驥　仲逸校正

〈說明文字〉南宋建陽王叔邊刊《後漢書注》一書中的牌記。（附圖二）

椒紙・桃花紙・公牘紙

——談刊印古書的用紙

就現有的出土文獻來看，商代的文字多數寫在龜甲或獸骨上；後來則寫在竹簡或布帛上。寫在竹簡上的稱爲「冊」，又寫爲「策」；寫在布帛上的稱爲「卷」。自從漢代蔡倫發明紙張後，古書的抄寫和刊刻，就以紙張爲主。

古書所用的紙張，有許多種。根據民國二十三年（西元一九三四年）上海粹芬閣出版的《粹芬閣珍藏善本書目》，多數的書都標著紙張類別，計有「竹紙」、「白棉紙」、「桃花紙」（又稱「開花紙」）、「白紙」、「太史紙」、「東洋紙」、「抄本紙」等。大致上來說，紙張由於原料及產地之不同，而有不同的名稱。

用竹子造成的紙，放置久了，多呈褐黃或茶黃色，質地脆薄易碎；而用白棉及楮樹、桑樹等樹皮造成的紙，色澤較白；至於青檀樹皮製造的宣紙，最爲柔韌潔白，勻淨細膩，很能吸收水分。不過，不少古書的紙張，都白中帶黃，不一定就是竹子造的，也不完全是年代久遠，陳舊老化的緣故，而可能是爲了防蟲蛀食的緣故。古人爲了防蠹，通常會在紙漿中加上黃檗的溶液。黃檗，也叫做黃柏，樹皮可入藥，具有降火、去燥溼、解毒清涼等功效。它由於含有鹼，所以可殺蟲。早在宋代趙希鵠所寫的《洞天清錄集》一書裡，就說紙張「染以黃檗，取其避蠹。」凡是含有黃檗的紙張，都是黃色。

古人除了用黃檗防蠹外，有時候也用辣椒粉。椒味辛辣，可以驅蟲。早在漢代的時候，就已懂得把椒粉摻在泥土中圬牆，以驅蚊蟲。漢代把皇后的住處稱爲「椒房」，一方面固然是希望皇后像辣椒多子，一方面也是由於牆壁中摻有椒粉以驅蚊蟲的緣故。這種紙漿中含有椒粉的紙，叫做「椒紙」。

清代的孫從添在《藏書紀要》一書裡，談到宋版書的精妙，在於「墨香紙潤，秀雅古勁」。紙之爲「潤」，是指光滑、柔軟而堅韌。宋代以後，印書用的紙，講究白色。爲了使紙張潔白光亮，一方面先在紙漿中加上白色的礦物質粉末，一方面還得從事「研光」。所謂「研光」，就是用光滑的卵形石頭在紙面上碾磨，把粗糙的纖維去掉。

歷代印書用的潔白紙張，以清代初年的「桃花紙」最負盛名。「桃花紙」，盛產於浙江省的開化縣，所以又叫做「開化紙」，也有稱之爲「開花紙」的。紙薄而韌性強，質地細膩，潔白柔軟，翻閱時手感好，清代初年內府所刊刻的書，多用此紙。現在藏於臺北國立故宮博物院的清康熙五十六年（西元一七一七年）內府所刊印的《御纂性理精義》（十二卷）一書，就是用桃花紙印的，色澤光滑潔白，眞是紙中上品。

宋代時造紙術雖已很發達，但古人深知「物力維艱」的道理，常常利用廢棄的公文紙，用沒有文字的反面來印書，這種書在版本學上的術語稱它爲「公牘紙本」。清代乾隆年間的著名學者錢大昕，曾見過一部宋刊本《北山小集》，他詳細檢視，發現是用宋代公牘紙印的，書的背面都是南宋孝宗乾道六年（西元一一七〇）的官司簿帳，上面還鈐有印章，有「湖州司獄」、「烏程縣印」、「歸安縣印」、「湖州司理院」、「湖州戶部贍軍酒庫」、「湖州監在城酒務」、「湖州都商稅務」等印記，錢氏根據這些印記，認爲這部書當是吳興官府所刊印的。現在臺北的國家圖書館，剛好也有這麼一部宋刊公牘紙本《北山小集》，書葉的背面還可以明顯的看到當時的公文擬稿，十分有趣。

〈說明文字〉明代宋應星所撰《天工開物》一書中所繪的造紙過程。

「旋風裝」和「龍鱗裝」

——談古書裝訂的形式之一

古書之有裝訂，可以追溯到商代。

「冊」這個字，在甲骨文裡寫作「」，在鐘鼎文裡寫作「」，李斯所定的小篆則寫作「」，三者相近，都是像用繩子編連或捆束竹簡的樣子。不過，在甲骨文裡的「冊」，所編連的，也有可能是龜甲。

編竹簡的繩子，有時候用皮革。《史記・孔子世家》說：「孔子晚而喜《易》、序〈象〉、〈繫〉、〈象〉、〈說卦〉、〈文言〉。讀《易》，韋編三絕。」「韋」就是皮韋。可見孔子所讀的《周易》，是用皮革編連的。

到了漢代，很多書已寫在布帛上。《漢書・藝文志》裡，凡是稱「篇」的書，如《力牧十五篇》，就是用竹簡編成的；稱「卷」的書，如《海中星占驗十二卷》，就是用布帛寫成的。

到了東漢蔡倫發明了紙，書的形製大部分用卷軸的方式，這種方式一直沿用到唐代。韓愈〈送諸葛覺往隨州讀書〉詩云：「鄴侯家多書，插架三萬軸；一一懸牙籤，新若手未觸。」明代都穆的《聽雨記談》一書也說：「古人藏書，皆作卷軸。」（附圖一）這說明了卷軸是書籍最常見的裝訂形式。卷軸的材料，則隨著物質的發達，越來越講究。早期的軸，大都用竹子，到了唐代，有用紫檀或白檀的，甚至有用珊瑚的；軸的兩端，也鑲上各種飾物，以求美觀。

唐代佛教盛行，信徒誦經時，卷軸過長，不論擺置、翻閱都不方便，於是把較厚的長卷，摺疊成册，首頁和末頁連綴，誦經翻到最後一頁，又自然回到首頁，宛轉如旋風，所以叫做「旋風裝」。（附圖二）這種裝訂方式，大部分用於佛經，所以也叫做「經摺裝」或「梵夾本」。

還有一種裝訂方式叫「旋風葉」。宋代張邦基所寫的《墨莊漫錄》（卷三）有一則說：「裴鉶《傳奇》載成都大僊人吳彩鸞，善書小字，嘗書《唐韻》鬻之，今蜀中導江迎祥院《經藏》，世稱《藏》中《佛本行經》六十卷，乃彩鸞所書，亦異物也。今世間所傳《唐韻》，猶有□（缺字）旋風葉，字畫清勁，人家往往有。」裴鉶，唐代僖宗時人，著有《傳奇》三卷。《唐韻》，也叫《刊謬補缺切韻》，這個本子現藏北京的故宮博物院。根據大陸學者的描述，它的裝訂方式是用較厚的紙，兩面書寫，叫做「葉子」。然後把「葉子」一張張像魚鱗櫛比的貼在長卷上，捲起來像卷軸，攤開來可以一葉葉翻閱，攜帶方便，易於保存。由於它像魚鱗櫛比，所以又美其名曰「龍鱗裝」。

「旋風裝」和「旋風葉」雖有相似之處，但並不完全相同，一個是翻書如旋風，一個是葉子黏貼如旋風，所以都用「旋風」爲名。

「龍鱗裝」屬於卷軸方式的改良。凡是卷軸式的裝訂，都會有一些附帶的裝飾物，在此順便一談：

「褾」——一幅卷軸，攤開時，「軸」在左端；捲起來時，「軸」在中間，而卷子右端的紙，就露在外面了。為了保護卷子右端的紙，免得右端的文字受到污損，於是再接上一小段紙或絹，用以維護整個卷軸。這加上去的部分，稱為「褾」。

「籤」——亦名「別子」，在「褾」的前頭，通常會繫上一條絲帶，以便卷子捲起來時，可以纏緊。為了防止帶子散開，通常用竹木或骨質的東西，做成一個小長方塊，繫在帶子的末端，卷子捲緊了以後，把這小方塊插在帶內，卷子就不至於散開了。為了美觀，通常都用象牙或白色的骨質製成。後來古書的函套上也有類似的東西，用以固定函套。

〈說明文字〉卷軸。（附圖一）

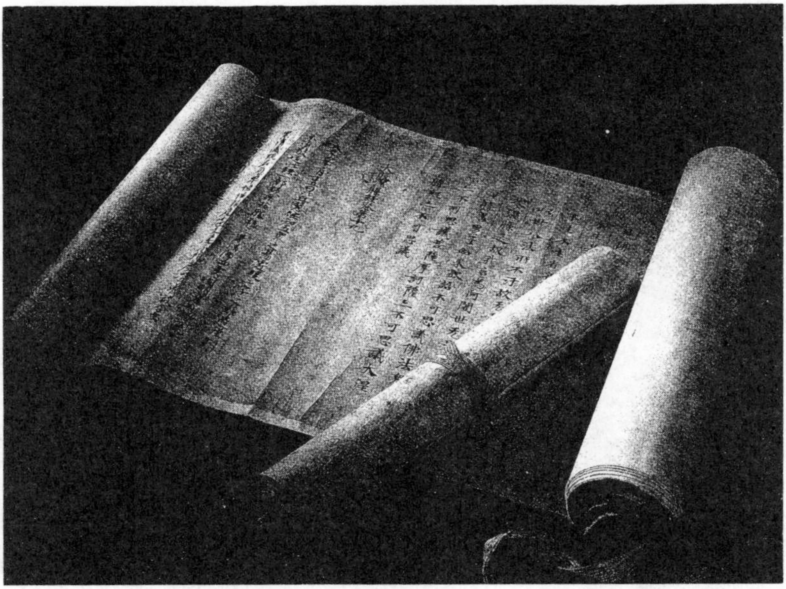

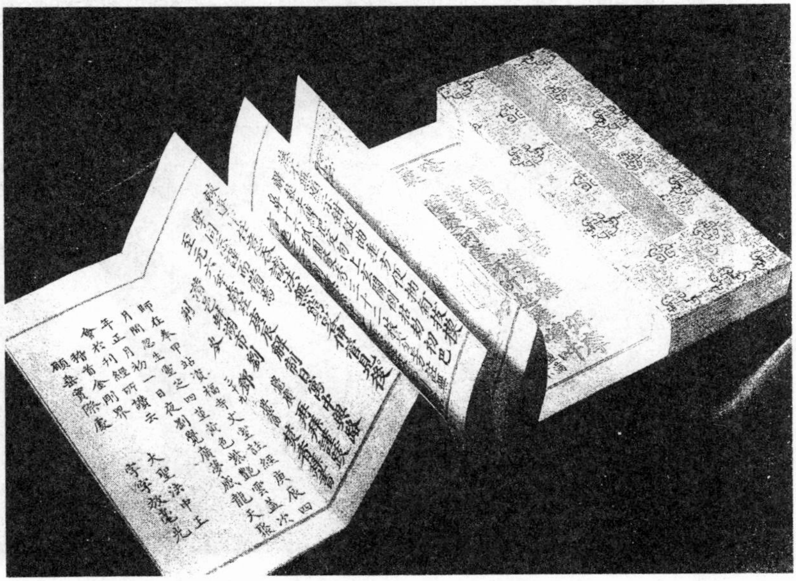

〈說明文字〉旋風裝又叫「經摺裝」或「梵夾本」。(附圖二)

「蝴蝶裝」·「包背裝」和「線裝」

——談古書裝訂的形式之二

前篇談到唐代以前的裝訂方式，除了卷軸外，又有「旋風裝」和「龍鱗裝」。「旋風裝」和「龍鱗裝」，基本上還是屬於卷軸的方式，所不同的，只不過「旋風裝」是把卷軸摺疊成葉子，而「龍鱗裝」則是把葉子黏貼在卷軸上。到了宋代，就開始把片片葉子單獨裝訂，開啓了後世「册裝」的形式。

早期册裝的方式，是在書葉的中間打兩個洞，用絲線裝訂。可是這種簡便的方式，容易損壞書葉，於是發明了「蝴蝶裝」。（附圖一）

現在所見線裝書摺疊裝訂的方法，把版心，也就是有魚尾的部分向外，變成書口；而「蝴蝶裝」則是版心向內，原則上不用絲線裝訂，而是把書葉黏在用厚紙做成的書背上，所以每一葉都只有薄薄的一張，翻書時像蝶翼般的又輕又薄，所以叫做「蝴蝶裝」。目前臺北國家圖書館所藏的宋代紹興間國子監刊本《漢書》和南宋末年建刊本《東萊先生音註唐鑑》，就是蝴蝶裝。

「蝴蝶裝」的好處，一方面是版心向內，有書背保護，不易受污損；一方面是邊欄的部位變成書口，欄外有相當寬闊的空白，即使磨損，也不影響書中的文字，不像後世的線裝，書口有文字，一旦損壞，文字就看不清了。

到了元代，造紙的技術大有進步，書葉不易破損，蝴蝶裝每葉太薄，翻閱不便，於是改爲版心向外的摺疊方式，把邊欄的外沿黏在書背上，這就是「包背裝」。（附圖二）這種把書葉黏在書背的方式，不論是「蝴蝶裝」或「包背裝」，都有一個缺點，那就是書葉容易散落，於是明清時，改用絲線裝訂，就發明了「線裝」。（附圖三）

「包背裝」和「線裝」，都是書口向外，這是他們的共同點；不同的地方，則是「線裝」要穿孔訂線，而「包背裝」則不需鑿孔穿線，只須用棉紙做個捻子，固定首葉，其餘則完全用黏的方式。

比較講究的「包背裝」和「線裝」，在每張書葉裡夾上白紙，叫做「襯紙」。

「襯紙」的作用很多：一方面可以免得前半葉的字透到後半葉；二方面紙張加厚，易於翻閱；而最重要的是，襯紙可以上下加長，翻書時不會觸到書葉，書葉不會沾上污漬，有保護書本的功用。這種襯紙，有很多好聽的名稱：因為它是活動的，可以隨時抽換更新，所以也叫做「活襯」；因為它是套在書葉裡，所以又叫做「袍套襯」；一般古書的紙，略顯黃色，而襯紙較新、較白，把潔白如玉的襯紙，夾在發黃的古書裡，所以也叫做「金鑲玉」。

「冊裝」形式的圖書，有時候會有各種附帶裝飾，以保護圖書並增加美觀。下面是幾項較常見的相關裝飾或附屬品：

「包角」——這是在書背的上下兩個角落，用綾絹包裹起來，稱之為「包角」。「包角」除了保護圖書免於污損外，也可以增進美觀。

「書衣」——也叫「帙」。《說文解字》說：「帙，書衣也。」書衣，就是保護圖書的外層，像衣服用來保護人體一樣，現在一般人稱之為「封面」。不過，古書的「書衣」和「封面」是兩件不同的東西，「封面」通常是在「書衣」的次一頁，在「封面」上寫著書名及刊刻處所等。

「書衣」的材料相當講究，有的用上等的宣德紙，並染上各種優雅的顏色；有的用彩色的絹綾。

「書簽」——就是在書衣上所貼的紙簽，上面題署書名。講究的用絲織品製成。其顏色通常要配合書衣的顏色。

〈文字說明〉蝴蝶裝。（附圖一）

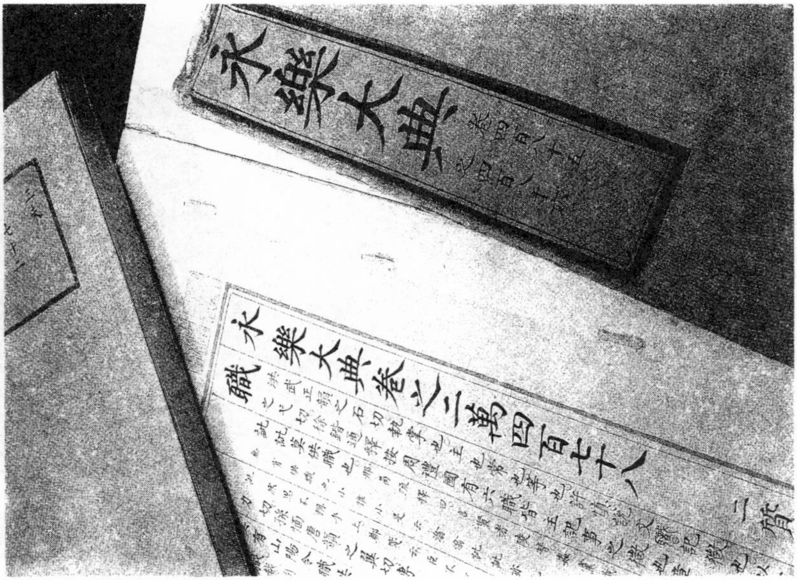

〈文字說明〉包背裝。(附圖二)

〈說明文字〉線裝。（附圖三）

「圖」．「書」本一家
——談古書中美妙精絕的插圖

我國自來就「圖書」二字並稱，可見在古時候，「圖」和「書」是並重的。譬如《漢書．藝文志》裡有《孔子徒人圖法》（二卷）一書，就是畫孔子七十二弟子的圖像，這本書雖然已亡佚不傳了，清代的葉德輝認爲漢代武梁祠的石刻畫像〈曾子母投杼圖〉、〈閔子御後母車圖〉等，可能就是這本書的圖像演變而來的。又如《漢書．藝文志》所載有關兵法的書，共有四十三卷的插圖，可見古書很重視插圖。

插圖的功用，不完全是只供欣賞，對讀書很有助益。宋代的鄭樵，在他寫的《通志》一書裡，有一篇叫〈圖譜略〉，對「圖」（插圖）、「書」（文字）的相輔相成，有很詳細的說明。他說：「圖，經也；書，緯也；一經一緯，相錯而成文。圖，植物也；書，動物也；一動一植，相須而成變化。見書不見圖，聞其聲不見其形；見圖不見書，見其人不聞其語。圖，至約也；書，至博也；即圖而求易，即書而求難；古之學者爲學有要，置圖於左，置書於右；索象於圖，索理於書；故人亦易爲學，學亦易爲功。」現在國民小學裡，教小朋友看圖說話、看圖作文；教數學時，要畫圖輔助說解，這些道理，八百多年前的鄭樵已說得很透徹了。不過，由於早期書寫的工具和材料的不方便，漸漸地，插圖越來越少了。

到了雕版印刷術發明後，插圖又漸爲大家所重視。早期的雕版插圖，大部分見於佛經，像唐代咸通九年（西元八六八年）王玠所刊刻的《金剛經》扉葉，刻著佛給孤獨園說法的圖，是相當著名的早期插圖。宋代以後，像天文、地理、建築、器物、醫書、小說、戲曲以至人物傳記，都有插圖。

雕版書的插圖，有時候稱「出像」，如明代萬曆年間所刊的《新刻出像官板大字西遊記》；有時候叫做「全相」，如《鼎鍥全相唐三藏西遊傳》；有時叫做「繡像」，如《新鐫批評繡像列女演義》。這些插圖，由於構圖生動，雕鏤精妙，不但能吸引讀者的興趣，而且成爲極具藝術價值的作品。尤其是明代嘉靖萬曆以後，一些書坊甚至高價聘請名畫家繪圖，再請刻工雕版。如明代嘉靖年間的名畫家仇英，是江蘇太倉人，字實甫（一作實父），號十洲，又號十洲仙史，擅長山水、人物、花卉、鳥獸等，汪啓昆刊刻的《列女傳》，就是由他繪圖上版的。又如萬曆年間的丁雲鵬，安徽休寧人，字南羽，號聖華居士，擅長山水、道釋、人物，程大約所編的《墨苑》，不少是他的作品。明末崇禎年間的胡正言，海陽人，字曰從，是很富盛名的篆刻家，他除了把平日所刻的印譜編成《印存初集》（二卷）和《印存玄覽》（二卷）二書外，更進一步用彩色雕印了《十竹齋畫譜》。這部畫譜，分翎毛、花卉、梅、竹、蘭、果、墨華、書畫等類。他的好友楊文聰說這部畫譜「皴染之法及著色之輕重淺深、遠近離合，無不呈妍曲致，窮巧極工。」的確是版畫中的精妙上品。又如明代萬曆年間的名畫家黃鳳池，徽州人，他選了五十首唐詩絕句，編成《唐詩畫譜》（五卷），一詩一圖。詩是請名書法家寫字再上版，畫也是請名畫家分別繪製。一面吟詩，一面賞畫，別有一番情趣。

筆者特地精選了幾幅有代表性的插圖：（圖一）就是丁雲鵬爲《墨苑》一書

所繪的圖，畫裡署有他的字號「南羽」。（圖二）就是《十竹齋畫譜》裡的蘭花。（圖三）就是《唐詩畫譜》的李白詩和插圖。（圖四）是明刊本《牡丹亭還魂記》的插圖，刀法細膩精妙。

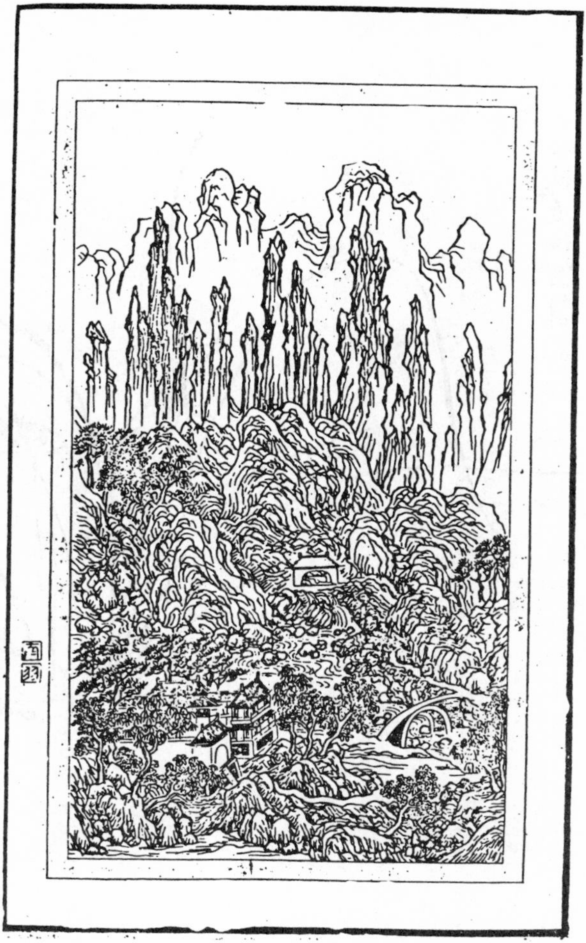

〈說明文字〉明萬曆年間丁雲鵬爲《墨苑》一書所繪的圖，畫裡署有他的字號「南羽」。（附圖一）

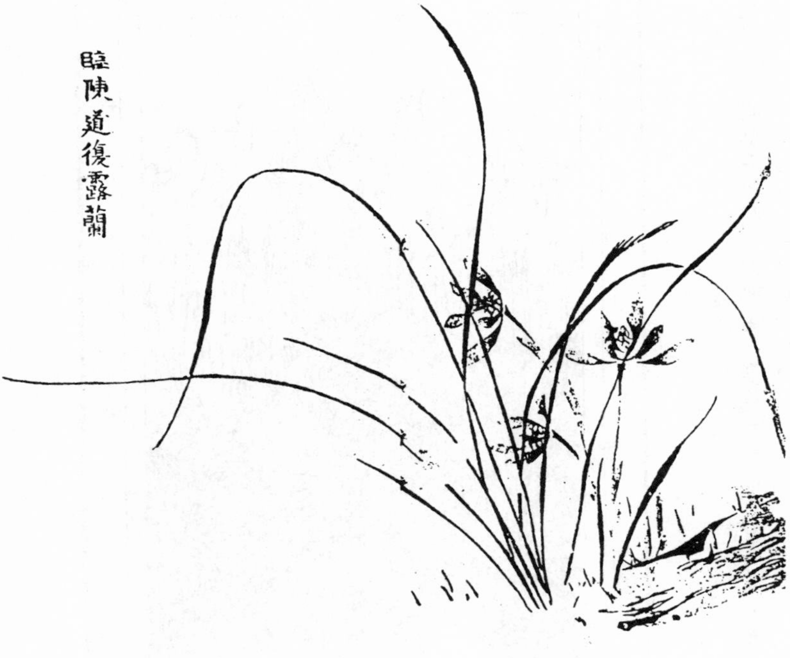

〈說明文字〉《十竹齋畫譜》裡的蘭花。（附圖二）

〈說明文字〉《唐詩畫譜》的李白詩和插圖。(附圖三)

〈說明文字〉 明刊本《牡丹亭還魂記》的插圖。(附圖四)

都是「麻沙本」惹的風波
——兼談各種以地區為劃分的刊本名稱

宋代陸放翁在《老學庵筆記》（卷七）記載一件趣聞：當新學制「三舍法」施行時，有一天教官出了一道題目要學生申論，題目是「乾爲金，坤又爲金，何也？」這是出自《周易・十翼》裡〈說卦〉篇的一段話，原文是「乾爲金，坤爲釜」，如今教官出的題目竟然是「乾爲金，坤又爲金」，所以學生看了題目，都目瞪口呆，無從寫起。有些學生舉手發問，可是教官不高興，認爲題目沒有疑義，不應該發問。於是就有個膽子較大的學生，拿著一部國子監刊刻的《周易》給教官看，證明題目有錯字，並問：「教官是不是根據『麻沙本』？」教官把手中的《周易》一看，果然是「麻沙本」，於是承認錯誤，把「坤又爲金」，改爲「坤爲釜」，才平息了一場考試風波。

什麼是「麻沙本」呢?為什麼「麻沙本」的錯字比較多呢?「麻沙」是福建省建陽縣的一個城鎮。建陽縣由於盛產木材,所以刻書業很發達,其中像崇化里的「書林」(也叫做「書坊」),就是由於刻書業發達而得名。此外,在永忠里西邊的「麻沙」,也是個刻書的中心。由於書坊衆多,競爭激烈,為了削價競爭,難免偷工減料,以減低成本。例如用來刻書的木材,不用質地好的梓木,而用質地較軟、成本低的榕樹,由於榕樹的質地較軟,所以印出來的書,漫漶不清;所請的刻工,水準也較低,校勘也不精細,因此錯字就多了。有時候為了減省成本,甚至刪削全書的篇幅,譬如把五十卷的書,刪削成三十卷。如此偷工減料的結果,「書品」也就不很高了。

不過,「麻沙本」的「書品」雖不甚好,但是「麻沙」這個地方刻了不少書,所以對圖書的流傳頗有貢獻。日本人也常到麻沙購書。譬如宋代江少虞所寫的《皇朝類苑》這一部書,記載了很多宋代的掌故和制度,是研究宋代政治、經濟、邊防、文學、人物等很重要的書。這部書原本有七十八卷二十八門,到了清代就找不到完整的本子。清代編《四庫全書》時,也收錄了這部書,但是只有六十三卷二十四門，也就是說少了十五卷四門，是一部殘缺不完整的書。幸好日本人曾經買了一部宋代紹興二十三年（西元一一五三年）「麻沙書坊」所刊印的本子，日本人買回去後，還用活字照麻沙本原來的樣子重新排印，使它完整的流傳下來。如果當時「麻沙書坊」沒有刊刻這部書，也許現在就看不到這部書完整的面貌，宋代很多掌故也就無從知道了。

「麻沙本」是衆多刊本中的一種，還有其他各種刊本的名稱，在此也略作介紹。

凡是用木刻的圖書，汎稱爲「刊本」，也稱之爲「刻本」、「槧本」。如按照刊刻的地點來分，則大致可分爲「官刻本」、「家刻本」和「坊刻本」三類。

所謂「官刻本」，就是由政府機構刊印的。在「官刻本」中，下列幾種刊本名稱比較特殊，需要說明的：

監本：「監」是「國子監」的省稱，它是負責全國高等教育的機構。在《周禮》一書裡，就有「國子」一詞，當時指的是「公卿大夫之子弟」，因爲在早期，只有貴族的子弟，才有接受高等教育的機會，到了後來，平民子弟也可以經過考試和甄選等方式，接受高等教育。唐朝以前，稱爲「國學」或「太學」，唐朝才改稱「國子監」，由「國子監」刊刻的圖書，稱爲「監本」。

明代初年，京城設在南京，明成祖時遷都北京，但爲了紀念明太祖開國之功，在南京仍維持所有的建制，所以南京和北京各有「國子監」。由南京國子監刊印的叫做「南監本」，北京國子監刊印的叫做「北監本」。

大抵而言，「監本」不論在紙張、裝訂、字體等方面，都很講究，校勘也比較精審。

經廠本：明代的官制，宦官（太監）部分，設置十二監，分別執掌宮廷中的日常事務，這十二監是：司禮監、內官監、御用監、司設監、御馬監、神宮監、尚膳監、尚寶監、印綬監、直殿監、尚衣監及都知監。其中司禮監是負責宮中的書籍、名畫、章奏、文書等工作。「經廠」是司禮監的一個單位，專做刻書、印書方面的工作。由「經廠」刊印的書，叫做「經廠本」。大抵來說，「經廠本」的紙張、裝訂、字體都很講究，但是，印書的工作都由太監來做，所以校勘不精細，錯誤也多。

殿本：清代「武英殿本」的簡稱。「武英殿」是清代刻書、印書的單位，是由明代的「經廠」改制而來，不同的地方是，明代的「經廠本」由宦官主其事，清代的「武英殿本」都是由詞臣（替皇帝草擬詔令的官員）負責，因此印出來的書，水準就不一樣了。「殿本」的書，不論紙張、墨色、裝訂、校勘，都極爲精善，藏書家以它和宋元本相提並論。

「家刻本」是私人出資請刻工刊印的書，又稱爲「家塾本」或「書塾本」。所刊印的書，大部分是自己祖先的著作或私塾裡教學所必需的基本讀物，如經書、重要的史書、子書及詩文集等。

「坊刻本」是書店所刊刻的書。古代的書店，有「書肆」、「書林」、「書坊」、「書堂」、「書棚」、「書鋪」等各種名稱。書店以營利爲目的，所以所刊刻的書，多以「暢銷書」爲主，例如考試用的參考書、戲劇、小說及通行的詩文集等，和現在一般的書局差不多。同時，書坊所印的書，多數不講究校勘，所以錯字較多。早期以福建、四川、浙江等地，刻書業較發達，書坊也較多。凡是福建書坊所刊刻的，統稱爲「閩本」；四川刊刻的，統稱爲「蜀本」；浙江杭州所刻的，統稱爲「浙本」；浙江金華一帶所刻的，統稱爲「婺州」本。

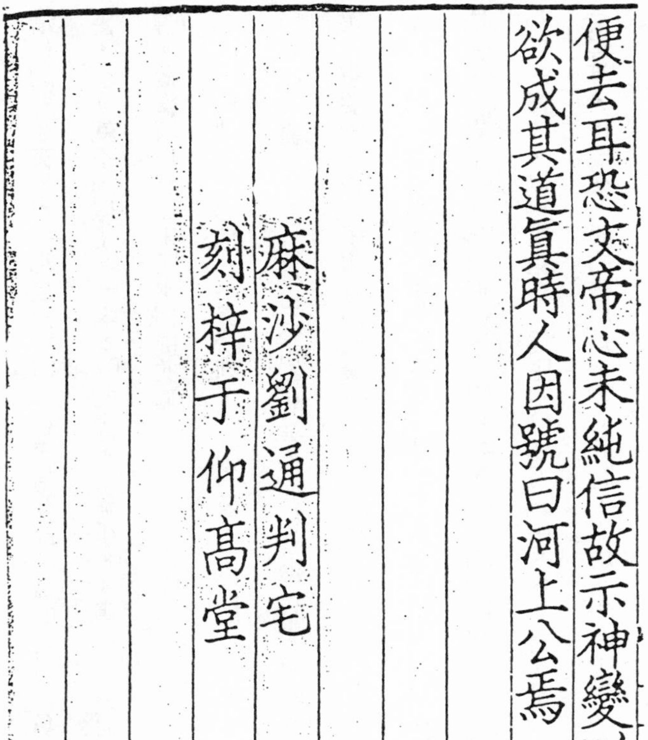

便去耳恐文帝心未純信故示神變以悟帝意
欲成其道眞時人因號曰河上公焉

麻沙劉通判宅
刻梓于仰高堂

〈說明文字〉這是宋麻沙劉通判「仰高堂」所刊刻的《音注老子道德經》。

「抄書」的趣聞
——兼談各種抄本的名稱

我國的印刷術，雖然在五代時已很發達，但是，一方面由於每一版書印行的數量有限，一方面由於交通不方便，所以一般人不容易買到書。一般讀書人或藏書家，只好設法借書抄寫，所以至今流傳的善本古籍，不少是抄本。「抄本」雖不屬於版刻，但是在古書中佔有相當大的比例，而且很多刊本是根據抄本刊刻的，抄本和版刻的關係密切，所以在此談談與抄本有關的知識。

談起向人借書抄寫，可眞不易。一般讀書人不輕易把秘笈示人，更遑論借人抄寫了。像清代的大藏書家黃丕烈，常慨歎人們太自私，不輕易借書與人，然而他自己有一部北宋景祐年間刊刻的《漢書》，自承「藏篋中三十年，非至好不輕示人。」可見他也一樣的自私。

前人不輕易借書給人的原因很多：有的是不願「秘笈」流傳太廣，以免貶低書的身價；有的是擔心借去了不還，平白損失了珍祕；還有些人，把借來的書，用刀子裁掉一部分再還人家，書主一時沒能察覺，等數年後才發覺，已來不及索賠了。北宋的趙令畤就說過，當時有些士大夫向人借書，既不抄、不讀，也不還，乾脆據爲己有。北宋末年的呂希哲，他說有一位長輩曾告訴他一句諺語，那就是「借書而與之，借人書而歸之，二者皆痴也。」在這種情形下，借書越發不易了。

但是也有例外，二三好友，爲了互通有無，私底下訂定借書規約。譬如清代初年的黃虞稷和丁雄飛，都是著名的藏書家。黃氏住在金陵市區，丁氏住在郊外的烏龍潭，相去十餘里。黃氏常到丁氏的藏書樓「心太平庵」看書，爲了公平，丁氏特地訂定了「古歡社約」，規定「每月十三日，丁至黃。二十六日，黃至丁。」看書的日子，由主人供應飯菜，「一葷一蔬，不及酒。」不能太豐富，不然，「踰額者奪異書示罰」。到對方家看書時，除了轎夫和書僮外，不能帶朋友來，以免變成談天應酬，妨害看書。轎夫和書僮，也限定一共三人，每人給小費三十文。所借的書，「不得踰半月，還書不得託人轉致。」短短幾條約定，權利義務分明，公平實用，眞是設想周到。

古人喜歡抄書，一方面固然是不易得到刊本，另一方面，則是抄書有許多好處。近代大學者梁啓超（任公）先生，就勸人抄書，他認爲抄書可以博學，又可以收到精讀的效果。他在《治國學雜話》裡這樣說：「若問讀書方法，我想向諸君上一個條陳。這方法是極陳舊的極笨極麻煩的，然而實在是極必要的。什麼方法呢？是抄錄或筆記。我們讀一部名著，看見他徵引那麼繁博，分析那麼細密，動輒伸著舌頭說道：『這個人不知有多大記憶力，記得許多東西，這是他的特別天才，我們不能學步了。』其實那裡有這回事。好記性的人不見得便有智慧，有智慧的人，比較的倒是記性不甚好。你所看見者是他發表出來的成果，不知他這成果，原是從銖積寸累困知勉行得來。大抵凡一個大學者平日用功，總是有無數小册子或單紙片，讀書看見一段資料，覺其有用者即刻抄下（短的抄全文，長的摘要記書名卷數頁數），資料漸漸積得豐富，再用眼光來整理分析他，便成一篇名著。想看這種痕跡，讀趙甌北的《二十二史箚記》，陳蘭甫的《東塾讀書記》，最容易看出來。這種工作，笨是笨極了，苦是苦極了，但眞正做學問的人，總離不了這條路。做動植物的人，懶得採集標本，說他會有新發明，天下怕沒有這種便宜事。」梁氏又說：「發明的最初動機在注意，抄書便是提醒注意及繼續保存注意的最好方法。當讀一書時，忽然感覺這一段資料可注意，把他抄下，這件資料，自然有一微微的印象印入腦中，和溜眼看過不同，經過這一番後，過些時碰著第二個資料和這個有關係的，又把他抄下，那注意便加濃一度，經過幾次之後，每翻一書，遇有這項資料，便活跳在紙上，不必勞神費力去找了。這是我多年經驗得來的實況，諸君試拿一年工夫去試試，當知我不說謊。」由於抄書有如此大的助益，所以前人家中即使已有刊本，有空時也會抄寫數部，一方面以廣流傳，一方面可藉機精讀。

前人抄書，十分講究，尤其是影抄本，不論行款、字體，都要求和原書一模一樣，令人幾乎分辨不出是刻本或是抄本。譬如清代初年的錢曾，家中有不少抄本，十分精美，當時人稱之爲「錢抄」。現在臺北的國家圖書館就有一部錢氏「也是園」影抄宋刊本《丁卯集》，不論版式的大小、行款、字體，都和原本一樣，抄寫之精緻，觀者歎爲觀止（附圖）。

抄書的工作，除了私人進行外，官府也常進行抄書的工作。尤其是官府在編纂大部頭「叢書」或「類書」時，由於這些書部帙龐大，通常不準備刊印，只準備抄寫一、二部或少數幾部，因此都用抄寫，而不用刊刻或活字排印，以省經費。明代永樂年間，編了一部類書《永樂大典》，篇帙達二萬二千九百三十七卷，裝訂成一萬一千九十五冊。嘉靖三十六年（西元一五五七年）宮中大火，差一點被燒燬，於是再抄一部副本。當時參加抄寫的「楷書生」多達一〇九人。根據筆者核算，《大典》每頁約一千七百個字，當時規定每人每天只要抄寫三頁，即五千字左右。「楷書生」除了有固定的薪俸外，還提供酒飯和食米，至於硯瓦水罐、筆墨桌凳及火盆等，當然也都由公家供應無缺，可見抄書的待遇相當不錯。

抄書，通常用墨筆或朱筆，但是有部份佛經，卻是由「泥金」抄寫的。所謂「泥金」，就是把黃金的粉屑拌在膠水裡，用以書寫或畫畫。臺北國立故宮博物院所藏的《如來頂髻尊勝佛母現證儀》、《佛說消災吉祥陀羅尼經》等佛經，都是明代時用泥金寫的，金光耀眼，十分珍貴。

唐代咸通年間，西川有個法號叫「法進」的和尚，在教化寺弘揚佛法時，當衆刺血抄寫佛經，轟動一時。有人向官府報告，官府判他驅逐離境，理由是：「斷臂既是凶人，刺血並非善事。貝多葉上，不許塵埃，俗子身中，豈堪腥膩。」這可以說是歷代抄書工作中，最爲不幸的事件。

近人陳國慶先生，根據各圖書館所藏的抄本，把明清兩朝著名的抄書者列成一表，現在把它迻錄於左：

姓名	別號	地名	齋室名	用紙、版欄及附記
吳寬	匏庵	長洲	叢書堂	用紅格紙，版心有「叢書堂」三字。
葉盛	與中	崑山	賜書樓	用綠墨二色格紙，版心有「賜書樓」三字。
文徵明	衡山	長洲	玉蘭堂	格欄外有「玉蘭堂錄」四字。
王肯堂	宇泰	金壇	鬱岡齋	版心有「鬱岡齋藏書」五字。
沈與文	辨之	吳縣	野竹齋	欄外有「吳縣野竹齋沈辨之制」九字。

楊儀夢羽	常熟	七檜山房	版心有「嘉靖乙未七檜山房」八字，或「萬卷樓雜錄」五字。
姚咨舜咨	無錫	茶夢齋	版心有「茶夢齋鈔」四字。
秦四麟酉巖	常熟	致爽閣	版心有「致爽閣」三字，或「玄覽中區」四字。
祁承㸁爾光	山陰	淡生堂	版心有「淡生堂鈔本」五字。
毛晉子晉	常熟	汲古閣	版心有「汲古閣」三字，格欄外有「毛氏正本汲古閣藏」八字。
謝在杭肇淛	常樂	小草齋	版心有「小草齋鈔本」五字。
馮班定遠	常熟	空居閣	格欄外有「馮氏藏本」四字。
馮舒已蒼	常熟	空居閣	格欄外有「馮氏藏本」四字。
馮知十彥淵	常熟	空居閣	格欄外有「馮氏藏本」四字。
錢謙益牧齋	常熟	絳雲樓	版心有「絳雲樓」三字。
錢曾遵王	常熟	述古堂	格欄外有「虞山錢遵王述古堂藏書」十字，或「錢遵王述古堂藏書」八字。
錢謙貞履之	常熟	竹深堂	版心有「竹深堂」三字。
曹溶潔躬	秀水	倦圃	版心有「檇李曹氏倦圃藏書」八字。
葉樹廉石君	常熟	樸學齋	版框外有「樸學齋」三字。

徐乾學	健庵	崑山	傳是樓	版心有「傳是樓」三字。
朱彝尊	竹垞	秀水	潛采堂	用毛泰紙，無格欄。
惠棟	定宇	吳縣	紅豆齋	格欄外有「紅豆齋藏書抄本」七字。
趙昱	功千	仁和	小山堂	格欄外有「小山堂鈔本」五字。
吳焯	尺鳧	錢塘	繡谷亭	版心有「繡谷亭」三字。
吳騫	槎客	海昌	拜經樓	用毛泰紙，無格欄。
吳壽暘	虞臣	海昌	拜經樓	用毛泰紙，無格欄。
鮑廷博	以文	歙縣	知不足齋	用毛泰紙，無格欄。
汪遠孫	小米	錢塘	振綺堂	用毛泰紙，無格欄。
何元錫	夢華	錢塘	夢華館	
金檀	星軺	桐鄉	文瑞樓	
王宗炎	以除	蕭山	十萬卷樓	
丁丙	松生	錢塘	八千卷樓	
顧苓	芸美	長洲	雲陽草亭	有「塔影園客」朱色印。
錢熙祚	雪枝	金山	守山閣	用十二行綠格，格外有「守山閣抄本」五字。
姚覲元	彥侍	歸安	咫進齋	用十三行綠格，版心有「咫進齋」三字。
厲鶚	太鴻	錢塘	樊榭山房	用八行墨格。
鈕樹玉	匪石	吳縣		用十行綠格。

以上只是抄本的紙張上標著書齋的抄書者，還有更多的抄本，由於沒有抄書者的書齋名，所以無法斷定抄寫者及其年代。

這些不屬於刊刻的抄本，由於抄寫方式、所用紙張、抄寫處所及抄寫時代等的不同，而有不同的名稱。現在列舉常見的幾種，簡單說明如下：

一、抄　本：凡是不屬刊刻或活字排印，而是用人工繕錄的，統稱爲抄本。

二、寫　本：抄本中字體工整的，稱爲寫本。如明代的《永樂大典》，清代的《四庫全書》，都可以稱爲「寫本」。

三、舊抄本：凡是年代已久，但不能確定其正確抄寫年代的，稱爲「舊抄本」或「舊寫本」。

四、精抄本：凡是抄本中，書法工整而精緻的，稱爲「精抄本」。

五、影抄本：依照舊版的行款、字體，依原樣抄寫的，稱爲「影抄本」或「影寫本」。「影」字也可作「景」。如果依宋刊本影抄的，稱「影宋抄本」。

六、稿　本：凡已寫完而未付梓的書稿，統稱爲「稿本」。如果是作者親手寫的，稱爲「手稿本」。凡是請人謄清又經作者審定過的，稱爲「清稿本」。

七、烏（朱）絲欄抄本：抄本所用的紙張，其界格是黑色的，稱「烏絲欄抄本」，紅色的稱「朱絲欄抄本」，藍色的稱「藍格抄本」，綠色的稱「綠格抄本」。

八、內府寫本：由宮中所抄寫的，稱「內府寫本」。一般來說，由宮廷所編纂的書，除了刊本外，通常都由宮中官吏用楷字書寫。

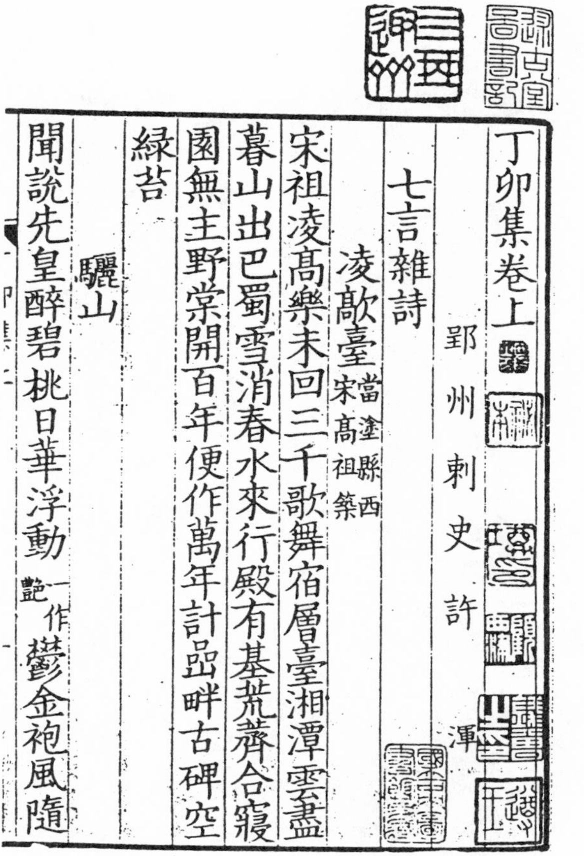
丁卯集卷上

郢州刺史許渾

七言雜詩

凌歊臺 當塗縣西宋高祖築

宋祖凌高樂未回三千歌舞宿層臺湘潭雲盡暮山出巴蜀雪消春水來行殿有基荒薺合寢園無主野棠開百年便作萬年計嵒畔古碑空緑苔

驪山

聞說先皇醉碧桃日華浮動一作艷鬱金袍風隨

〈說明文字〉清代初年錢曾「也是園」影抄宋刊本《丁卯集》。

刻鏤在石版上的書

——談真石經和假石經

在還沒有發明印刷術之前，爲了方便讀書人有個正確標準的讀本，於是便有把經書刻在石版上，豎立在公衆場所，讓大家閱讀抄寫的方法。這種上面刻有經書的石版，稱之爲「石經」。它也可說是早期的一種書本。

爲什麼要刻石經呢？一方面是早期沒有印刷術，書本流傳不易，有錢也未必能買到書，何況是那些寒門子弟，更不容易得到書本，於是由國家出錢把經書刻在石版上，立在太學門外，大家都可以去抄寫；另一方面，早期的圖書都靠傳抄，彼此不同，錯誤也多，國家爲了讓大家有一個正確的標準本，就刻了石經，以求書本內容的一致。在古代，經書是最重要的讀本，所以刻在石版上的書，都是以經書爲主。

把經典刻在石碑上，是一件很鉅大的工程。先要請書法家把字用紅丹寫在石碑上，再請名匠雕鏤，最後還要經過校勘，不僅費時，所需人力物力也很可觀。以唐代《開成石經》來說，單單石碑就用了兩百十七塊。石碑的大小，歷代不一，漢熹平年間刻的石經，每塊石碑高一百七十公分，寬九十公分。試想，把那麼大、那麼多的石經樹立在京城，讀書人如果想讀「標準本」的儒家經典，只好跋山涉水，千里迢迢到京城去抄書。根據《後漢書・蔡邕傳》的說法，「碑始立，觀視及摹寫者，車乘日千餘輛，塡塞阡陌。」可見當時讀書人求知慾的強烈及讀書人之辛苦！

我國歷代的石經，以東漢的《熹平石經》、三國時代的《正始石經》和唐代的《開成石經》，最爲著名。宋代以後雖然也有很多石經，但是宋代以後印刷漸漸普遍，石經的功用不顯著，石經也就不那麼受人重視了。

《熹平石經》是在東漢靈帝熹平四年（西元一七五年）刻的，所刻的經書共有七種，分別是《周易》、《尚書》、《詩經》、《儀禮》、《春秋經》、《公羊傳》和《論語》。由蔡邕等人用隸體書寫，靈帝光和六年（西元一八三年）完成，碑數有四十六塊，每塊碑正反兩面都刻字，一共是二十萬零九百一十一字，立石於洛陽太學門外。

《正始石經》，刻於三國魏廢帝正始年間，只刻了《尚書》、《春秋》和《左傳》的一部分，共有三十五塊石碑，每碑高一百九十二公分，寬九十六公分，由衛覬、邯鄲淳、嵇康等多人書寫。也立於洛陽太學門外。

《開成石經》，始刻於唐文宗大和七年（西元八三三年），完成於文宗開成二年（西元八三七年）。這次的工程最大，共刻了《周易》、《尚書》、《詩經》、《周禮》、《儀禮》、《禮記》、《左傳》、《穀梁傳》、《公羊傳》、《孝經》、《論語》和《爾雅》等十二部書，共用了二百二十七塊石碑，所刻的字多達六十五萬二百五十二字。由艾居晦、陳玠、段絳等多人書寫。用眞楷書寫，字體則用歐陽詢、虞世南、褚遂良、薛稷等人的筆法。立於長安務本坊國子監太學講論堂兩廊。

在這些石經中，以《正始石經》的刻法最有趣，每一個字都刻有古文、小篆和隸書三種字體，有些是三字成直行排列，有的則是成「品」字形排列，十分講究。由於每一個字都有三種字體，所以又稱爲「三體石經」；相對的，《熹平石經》只有隸書一種字體，所以又叫做「一字石經」。

由於戰亂，《熹平石經》和《正始石經》大部分都已毀壞，有的是因戰火崩塌，有的則被人搬回家充當建築材料。北周時，把《熹平石經》從洛陽搬到鄴城，運到黃河中間時，船破了，不少石經就沉到黃河底了。

早期的石經，如今存留的已不多，於是就有人僞造石經。像明代的豐坊，就曾經僞造《石經大學》，明清之際，不少人都被他欺騙，以爲是眞的。而歷來最大一批的僞造石經，要數所謂的《舊雨樓石經》了。

《舊雨樓石經》，共四冊，約一萬二千字，近代的學者，大家都相信它是眞的，並且用它來校勘現行經典上的文字。一直到民國五十六年，故中央研院院士屈翼鵬（萬里）先生，才根據它的字體、文字的部位等和近代出土的漢石經核對，終於證明它是假的，解決了近百年來最大的一宗僞造石經疑案。這部《舊雨樓石經》，現藏臺北的國家圖書館。

〈說明文字〉這是「直行式」的「三體石經」。

〈說明文字〉這是「品字式」的「三體石經」。

〈說明文字〉 這是僞造的《舊雨樓石經》。

一字之誤．差點命喪黃泉

——談善本書的可貴

清代光緒初年，張之洞提督四川學政時，很多學子常向他請益兩個問題：一是「應讀何書？」二是「書以何本爲善？」於是他撰寫了一部著名的《書目答問》（事實上是委請繆荃孫代寫的）。在這部書裡，列舉了一個初學者應讀的四部要籍，同時在每一書名下標注「善本」的名稱。

什麼是「善本」呢？明代以前從來沒有人爲它下過比較周延的界說，一般公認的最重要條件是「校勘精審」。張之洞在《輶軒語．語學篇》裡，認爲「善本」的條件有三個：一是足本，也就是內容完整、不殘缺；二是精本，就是錯字要少；三是舊本，就是時代要早。與張之洞同時的丁丙，是江南的著名藏書家，有幾棟藏書樓，其中一間叫「善本書室」。丁氏訂定符合下列四項條件的書，才有資格儲藏在「善本書室」。這四項條件是：一是舊刻，就是早期的刻本，一般是指宋、元時期的刻本；二是精本，就是校勘精審，錯誤很少的書；三是舊抄，就是早期抄寫的本子；四是舊校，就是經過早期學者校勘過的書。張、丁二人的標準不盡相同，但是也有共同的地方，那就是他們都認為刊刻精妙、錯字較少的「精本」或校勘精細的「舊校」，都是古書的「善本」。

為什麼古人那麼重視校讎呢？因為一字之誤，輕則鬧笑話，重則會鬧人命呢！

明代陸深在《金臺紀聞》一書裡，有那末一則記載：明代初年，金華有個叫戴元禮的名醫，奉命到南京為明太祖看病，空暇時，戴氏就到城裡閒逛。因為他自己是醫生，所以特地留意參觀南京城裡的藥房，希望能發現新的藥品和藥方。他發現有一個診所，每天都門庭若市，他想，這一定是醫術高明的醫家。於是他趨前參觀，看看有什麼特殊的秘方。連看了數天，倒沒有發現什麼特別的地方。有一天，他聽到醫生囑咐病人回家煎藥時，要記得放一塊「錫」一起服用。戴氏很覺奇怪，他從來沒聽說要加「錫」的藥方。他請教那位醫師，醫師卻不耐煩的回答說：「古方爾！」

戴氏趕快回到了住所，查閱自己攜帶來的醫書，終於查到了這帖藥方。藥方上寫的煎藥時要放一塊「餳」，而不是「錫」。「餳」就是麥芽糖。戴氏趕緊拖了醫書給那位醫生看，並且要他立即轉告病人，煎藥時不必放「錫」，而改放「餳」，挽救了一條人命。陸深在記述這一則事情後，感歎的說：「嗚呼！不辨餳錫而醫者，世胡可以弗謹哉！」醫生固然有責，而一切的錯誤，只由於一個錯字。

至於因錯字而鬧出的笑話，這裡也舉數則有趣的例子。

在南北朝的時候，有一個官員，接到了朋友送他的羊肉，他回信說：「損惠蹲鴟。」意思是說：「謝謝您送我蹲鴟。」這個送羊肉的朋友，接了回信，弄得莫名其妙。因為「蹲鴟」是當時四川一帶的方言，是指芋頭。四川的芋頭很大，看起來像一隻鴟蹲在地上的樣子，因而得名。這位送羊肉的朋友想：我明明送他羊肉，怎麼會變成「芋頭」呢？可是這位官員，頗有才名，學問不錯，所以這位朋友也不敢懷疑這官員是錯了，只是想這個官員一定用了某個典故，不過不知典故出自何書。所以就拿著信，到處請教朋友，大家看了信，也很納悶。後來經過大家尋找資料，共同研究，終於發現了事實：原來這個官員讀了有錯字的書。在《昭明文選》第四卷有一篇左思寫的〈蜀都賦〉，上面說：「交讓所植，蹲鴟所伏。」這兩句是在敘說四川岷山所種的植物。「交讓」和「蹲鴟」，根據注解說：「交讓，木名也，兩樹對生，一樹枯，則一樹生，如是歲更終不俱生俱枯也，出岷山，在安都縣。蹲鴟，大芋也，其形類蹲鴟。」可是這位官員所閱讀的《蜀都賦》，卻把注解裡的「大芋」寫成「大羊」了。因爲「羊」字和「芋」字形體相似，抄寫的人一不小心抄錯了。這位官員上了當，誤以爲「大羊」又可以稱爲「蹲鴟」，他想用用典故，賣弄一下學問，沒想到反而弄巧成拙了。

同樣也是發生在南北朝的一個笑話。有一個大臣，得到了一本《史記音》，其中錯字不少。所謂《史記音》是專門標注《史記》字音的書。一天，他上朝的時候，爲了誇耀他的博學，逢人就說：從來大家都把「顓頊」（古代帝王名，黃帝之孫，號高陽氏）誤讀「專旭」（ㄓㄨㄢ ㄒㄩˋ），應該唸成「專翾」（ㄓㄨㄢ ㄒㄩㄢ），才對。由於這位大臣學問不錯，所以大家都相信他，後來有部分學者，暗中研究，爲什麼從前人唸錯？經過一番探討，才發現不是前人唸錯，而是這位大臣弄錯了！原來這位大臣所看到的《史記音》，把「顓頊」的切語（切語是古代標音的方式，又叫做反語或反切，其方法是上字取其聲，下字取其韻。）寫成「許緣反」，正確的切語是「許綠反」。「許緣反」，按照現在的國語注音是「ㄒㄩㄢ」；「許綠反」，則是「ㄒㄩˋ」。「綠」「緣」二字形體相似，一字之誤，讀音相去如此之遠。

古書錯字的原因，有時候是由於抄寫者或刻書者的不小心，有時候則是由於程度差或有意的臆改。譬如宋代的趙明誠，把家中所藏的古代銅器和石刻，編成《金石錄》一書。趙氏雖不是一位頂出色的學者，但是由於他那頂頂大名的妻子李清照，爲《金石錄》寫了一篇〈後序〉，據說，還爲《金石錄》潤飾增損一番，所以《金石錄》就成了傳世之作。李清照在〈後序〉後面所署的日期是「紹興二年玄黓壯月朔甲寅」。根據我國最早的一部字典《爾雅》裡〈釋天〉篇的說法——「太歲在壬曰玄黓」，所以「玄黓」是用天象記錄年歲的代號。紹興二年是壬子年，所以那年的別名是「玄黓」。至於「壯月」是那一月呢？根據《爾雅・釋天》篇的說法，一年十二個月都有別名：「正月爲陬，二月爲如，三月爲寎，四月爲余，五月爲皋，六月爲且，七月爲相，八月爲壯，九月爲玄，十月爲陽，十一月爲辜，十二月爲涂。」所以「壯月」就是八月。可是明代有人傳抄《金石錄》，由於腹笥不足，沒讀過《爾雅》，以爲李清照的〈後序〉錯了，於是把「壯月」改爲「牡丹」，一時在士林傳爲笑談，爲後人所譏。

一般來說，明代人刻書時最喜歡擅改文字，造成的錯誤也格外的多。現在就舉元稹的詩集爲例。元稹，字微之，是唐代著名的詩人，他的詩平易不艱澀，與白居易齊名，號稱「元白」。清代的盧文弨，曾經把宋代刊刻的《元氏長慶集》和明代刊刻的作了比勘，發現明刊本錯字很多。我舉其中〈思歸樂〉一詩爲例。把原文和明代人臆改的情形對照看看（括弧中的字是明刊本的字）：

山中（我作）思歸樂，盡作思歸鳴。爾是此山鳥，安得失鄉名。應緣此山路（寄跡），自古離人征。陰愁感和氣，俾爾從此生。我雖失鄉去，我無（不）失鄉情。慘舒在方寸，寵辱將何驚。浮生居大塊，尋文可寄形（身）。身安即形樂，豈獨樂咸京。命有道之本，死有天之平。安問遠與近，何言殤與彭。君看趙工部，八十支體輕。交州二十載，一到（始對）長安城。長安不須臾，復作交州行。交州又累歲，移鎮廣與荊（值江陵）。歸朝新天子，濟濟為上卿。肌膚無瘴色，飲食康且寧。長安一（人生如）晝夜，死者如霣星。喪車四門出，何關炎瘴縈。況我三十三（餘），百年（年來）未半程。江陵道途近，楚俗雲水清。遐想玉泉寺，久聞峴山（欲登斯）亭。此去盡綿歷，豈無心賞并。紅餐日充腹，碧澗朝析酲。開門（釀酒）待賓客，寄書安弟兄。閒窮四聲韻，悶閱九部經。身外皆委順（無所求），眼前隨所營。此意久已定，誰能苟求榮。所以官甚小，不畏權（朝野已）勢傾。傾心豈不易，巧詐神之刑。萬物有本性，況復人性（至）靈。珠碎（全埋）無土色，玉墜無瓦聲。劍折有寸利，鏡破有片明。我可俘為囚（明刊本「浮為囚」三字缺），我可刃為兵。我心終不死，金石貫以誠。此誠患不至（立），誠至（雖困）道亦亨。

這是一首元稹敘述生平和心聲的詩，對研究元稹的生平，是很重要的資料，而明代人居然改動了三十四個字，加上空缺的字，多達三十七個字。如果研究元微之生平和作品的人，所根據的是錯字那麼多的明刊本，那麼研究結果之不可靠，不言可知。所以一般讀書人，不太把明刊本列爲「善本」是有道理的。

「善本」不僅錯字少，還有許多優點：譬如張之洞所說的「足本」，就是指完整無缺，沒有經過後人刪削的本子。明代人刻書時，常常爲了節省成本，就任意刪節書中的一部分，然後用不完整的書冒充完整的書來出售。一般來說，由於宋元的刊本，日益稀少，所以宋元刊本，都被讀書人拱爲「善本」，而宋元刊本，除了錯字較少，較爲完整外，它們的字體優雅精妙，筆勢生動，紙墨也多屬上等，這些也是「善本」的條件之一。

由於戰亂，傳世的古籍日益匙少，目前中外各圖書館所藏的中國「善本書」，已不再限於宋元或明代初年的刊本，凡是明代末年以前的刊本或抄本、稿本等，都算得上是珍貴的「善本」了。

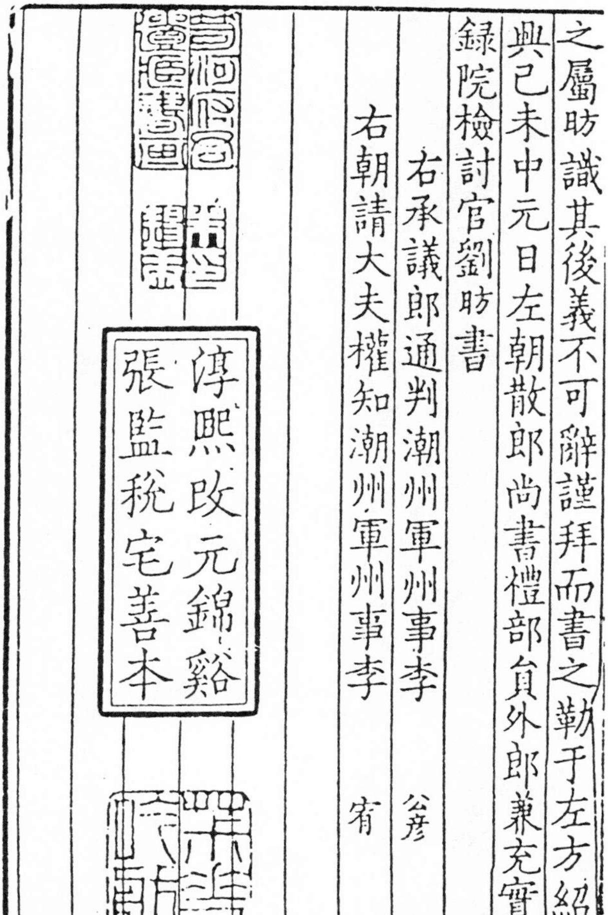

之屬昉識其後義不可辭謹拜而書之勒于左方紹
興己未中元日左朝散郎尚書禮部貟外郎兼充實
録院檢討官劉昉書
右承議郎通判潮州軍州事李　公彥
右朝請大夫權知潮州軍州事李　宥

淳熙改元錦谿張監稅宅善本

〈說明文字〉　這是宋刊本《昌黎先生集》，書末有「淳熙改元錦谿張監稅宅善本」牌記。可見宋代時已很重視「善本」。

玩物喪命的朱大韶

——談宋版書的價錢

宋代刊刻的古書，由於鐫刻精善，加上傳世不多，所以成爲後代讀書人和藏書家爭相購藏的對象。

宋版書的價錢究竟如何？

一般說來，明代由於距離宋代不遠，宋刻本還不少，所以除了罕見的書以外，售價並不太昂貴。明末的大藏書家毛晉，藏有很多的宋版書，他的第五個兒子毛扆，曾把家藏的珍本編成《汲古閣珍藏秘本書目》，每本書多列有書價，其中宋版書的價錢，並不很高。例如《宋版柳公樂章五本》，注云：「今世行本俱不全，北宋版特全，故可寶也。」這麼珍貴的書，開價白銀五兩。《宋版重續千文二本一套》，注云：「世間絕無，並不知有是書，而篆書精妙，眞奇書也。」

如此罕見的孤本，開價十二兩。《宋版文公家禮四本一套》，注云：「與今世行本不同，校對便知。」如此與衆不同的本子，只售六兩。《宋版本朝蒙求二本》，注云：「世間絕無。」售四兩。其他如《宋版群經音辨》，十五兩。藏經紙面印的《宋版駱賓王集二本》，八兩。《宋版韓昌黎外集二本》，四兩。《宋版秦淮海集八本》，六兩四錢。最貴的是《宋版孟東野詩集四本》，售十六兩，可能是當時人很喜愛唐代孟郊的詩。

到了清代，由於宋版書越來越少，宋版書的價錢，就大幅提高了。清代乾隆年間的黃丕烈，是個大藏書家，他尤愛宋版書，自號爲「佞宋主人」。他在購得一書後，喜歡在卷末寫上「跋」。在這些「跋」裡，時常記錄價錢。他曾在嘉慶十三年秋天，用白金一百二十兩購得了一部宋代福建余仁仲「勤有堂」所刊印的《公羊解詁》（十二卷），他在〈跋〉裡說：「今秋得此《公羊經傳解詁》十二卷，完善無缺，實爲至寶，得之價白金一百二十兩，不特書估居奇，亦余之愛書，有以致此。」他明知書價太貴，但愛宋版書成痴的他，也只好買了。此外，他曾用十銀元買了宋版殘本《禮記》，這部殘本《禮記》，只殘存第五卷的〈月令〉一冊而已。《禮記》共有四十七篇，〈月令〉只是其中一篇而已，以此計算，則一部完整的宋版《禮記》，大概要近五百銀元。

由於宋版書值錢，所以書估僞造宋版書的情形，也就屢見不尠。根據近代藏書家葉德輝購書的經驗，書估僞造宋版書的伎倆，大致有下列幾種：一是把明版書的刊刻年代剜去，改成宋朝的年號；二是把後代重刊的序跋剜去，補上宋代的序跋；三是僞造藏書家的圖章，蓋滿滿頁，以示其珍貴。

在我看來，爲了買宋版書付出最高代價的是明代的朱大韶（西元一五一七—一五七七年）。大韶，字象玄，號文石，松江華亭烏溪里人，嘉靖二十六年（西元一五四七年）進士，官至南雍司業。退休後，搆樓於城東北隅，購貯圖書，朝夕觀覽，遠眺自適，因此取名「快閣」。他聽說有人願出售宋刊本袁宏寫的《後漢紀》，派人去洽購，賣主開出的條件，居然是要朱氏用一座田莊和一位最美的婢女交換。朱氏因爲愛宋版書近乎發痴，居然答應了。這位美婢臨行前，在牆壁上題了一首詩：「無端割愛出深閨，猶勝前人換馬時；他日相逢莫惆悵，春風吹盡道旁枝。」朱氏每天看了這首詩，十分惋惜難過，不久也就抑鬱而終了。爲了一部宋版書，把命都賠了，不啻是「玩物喪志」，而是「玩物喪命」了。

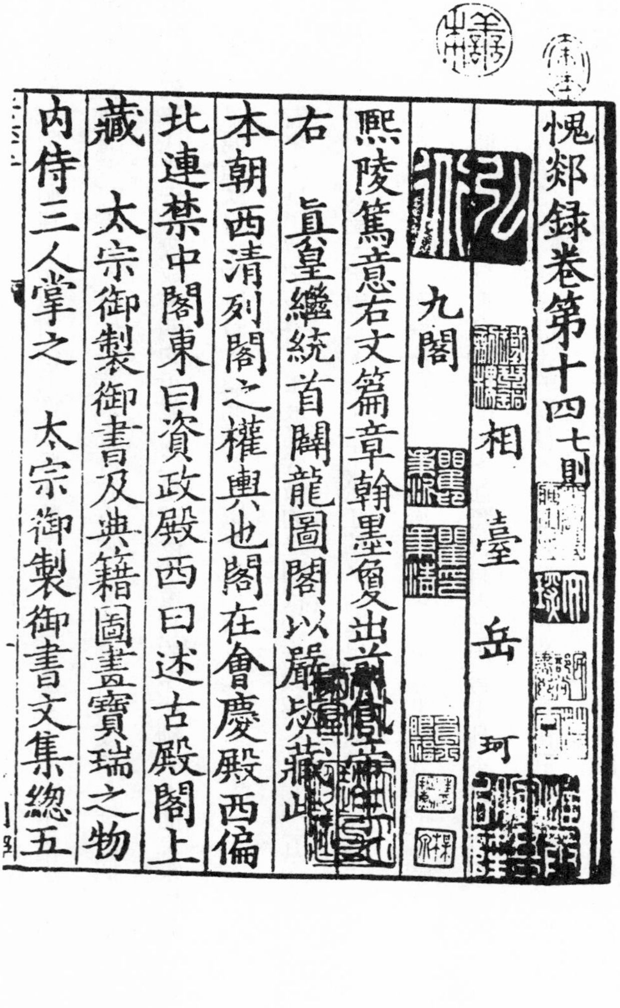
愧郯録卷第十四七則
相臺岳珂
九閣
熙陵篤意右文篇章翰墨夐出前
右　眞皇繼統首闢龍圖閣以嚴奎藏此
本朝西清列閣之權輿也閣在會慶殿西偏
北連禁中閣東曰資政殿西曰述古殿閣上
藏　太宗御製御書及典籍圖畫寶瑞之物
内侍三人掌之　太宗御製御書文集總五

〈說明文字〉　這是岳飛的孫子岳珂所撰的「愧郯錄」宋版書影。

乾隆皇帝怕見「活字」

——談「活字」改成「聚珍」的經過

民國九年到二十年間，中華書局先後印行了五集《聚珍倣宋版四部備要》。這部書，全書一萬一千三百零五卷，分訂二千五百册，是一部收錄一般人需讀的基本要籍的叢書，所以多數的學校和圖書館都會購置。臺灣的中華書局時常再版銷售，不少讀者看了廣告，常常問起：什麼是「聚珍」？

其實，「聚珍」就是「活字」的異名。

北宋仁宗慶曆年間，畢昇就發明用活字印刷，爲我國的印刷術，開啓了新頁。

畢昇所發明的活字，是用黏土燒成的，叫做「泥活字」。到了元朝，王禎改用木活字；到了明代，進一步有了錫活字、鉛活字和銅活字。一般說來，泥活字質地不堅固，字體較粗。錫活字和鉛活字太軟，容易變形。銅活字固然好，但成本太高，所以一般都用木活字。

談到銅活字，有些掌故可以談。

銅活字盛行於明代弘治（西元一四八八年—一五〇五年）、正德（西元一五〇六年—一五二一年）年間。那個時候，江南一帶，經濟繁榮，生活富庶，於是有富豪附庸風雅用銅活字印書。其中以無錫的華家和安家所印的銅活字版最爲精美。像尚古齋華珵印的《渭南文集》、蘭雪堂華堅印的《白氏長慶集》、錫山安國印的《顏魯公文集》等，現在都還看得到。這些用銅活字印的書，印刷精良，版式疏朗，很多藏書家拱爲珍璧，和宋元版一樣的看重。不過，這些明代銅活字印的書，比起刊刻本，數量很少。安國死後，這些銅活字被他的六個兒子當做家產瓜分，每一個人所分到的字，不足以印一部書，因此安家所印的活字本書，就更爲少見了。

用銅活字印成的最大一部書，是清代雍正四年（西元一七二六年）到六年（西元一七二八年）間，由內府排印的《古今圖書集成》，全書厚達一萬卷，另有《目錄》四十卷，分訂成五千零二十冊，裝成五百二十二函，所用的紙張是最好的開化紙和太史連紙。由於每一部的成本很高，所以只印了六十四部（一說六十部）。這六十四部書，除了分藏宮中的各重要單位外，在乾隆年間又賜給了當時協助修纂《四庫全書》的四位著名藏書家，他們是江浙知不足齋鮑士恭、天一閣范懋柱、開萬樓汪啓淑和江蘇的馬裕，另外，也先後頒賜給一些大臣，如張廷玉、舒赫德、于敏中、劉墉等，都曾獲頒《古今圖書集成》，其中張廷玉，任軍機大臣，先後獲頒兩部。六十四部《古今圖書集成》很快就送完了。乾隆年間，想再重印，但是存放在武英殿的銅活字已被管理人員盜竊了不少，所以只好另雕木活字重印。

那麼，什麼時候把「活字」改稱「聚珍」呢？

清代乾隆三十八年（西元一七七三年），詔修《四庫全書》時，清高宗已經六十三歲，他很擔心不能親眼目睹《四庫全書》完成，所以一方面指示先選擇《四庫全書》裡的菁華部分，編成《四庫全書薈要》；一方面也選擇《四庫全書》裡的善本，交由當時負責內府出版事務的「武英殿」，先行刊印流傳。當時負責武英殿的，是侍郎金簡。金氏估算所要刊印的書籍太多，雕版費時，所以上了一道奏摺，建議用活字印行。金氏的奏摺，主要在說明活字的好處，一方面省事，一方面省錢，另外還迅速。乾隆看了奏摺，就批了：「甚好！照此辦理。」同時，以「活字版之名不雅馴」，降旨把活字版改爲「聚珍」。乾隆把延用數百年的「活字」，改名爲「聚珍」，只說它的名稱「不雅馴」，並沒有說出具體的理由。筆者推測，可能他年歲高了，有點怕死，看到了「活」字，就聯想到了「死」字，所以就把名稱給改了。

用活字印書，速度雖比雕版快，但程序也相當多。金簡爲了工作效率，還特地編了一部《武英殿聚珍版程式》，書中對活字印刷的整個程序，如「成造木字」、「刻字」、「字櫃」、「槽版」、「夾條」、「頂木」、「中心木」、「類盤」、「套格」、「擺書」、「墊版」、「校對」、「刷印」、「歸類」等，除了有詳細的文字說明外，並且都繪了精美的圖畫，俾「喻工匠，示法守」，是印刷史上的一部重要著作。

民國以後，以「聚珍」爲名印行的最大一部書，就是本文一開頭談到的《聚珍版倣宋版四部備要》，而這部書的印行，也有一段罕爲人知的辛酸秘聞。

《聚珍版倣宋版四部備要》（以下簡稱《四部備要》）的編輯，是由當時的中華書局總經理陸費逵主持。《四部備要》所收每一書的封頁裡，也都印著「桐鄉陸費逵總勘」等字。陸費逵之所以用「聚珍」輯刊《四部備要》，和他的家世有關。

陸費逵的五世祖陸費墀，在清代乾隆年間編輯《四庫全書》時，以編修的職位兼任《四庫全書》的總校兼提調官。陸費逵在編《四部備要》的〈緣起〉裡說：「先太高祖宗伯公諱墀，通籍入詞林。《四庫全書》開局，以編修任總校官，後任副總裁，前後二十年，任職之掌且久，鮮與匹焉。晚歲搆宅於嘉興府城外用里街，顏其閣曰『枝蔭』，多藏四庫副本。洪楊之亂燬於火，今者用里街鞠爲茂草矣。小子不敏，未能多讀古書，然每閱《四庫總目》及吾家家乘，輒心向往之。」可見陸費逵之從事編輯《四部備要》，顯然和他的五世祖陸費墀有關。

乾隆在纂修《四庫全書》時，很重視校勘的工作。除了正總裁官、副總裁官、總纂官外，特地設總校官四人，分校官一百七十九人。這一百八十三人，有官至編修的，最低的也具進士背景，足見程度都很高。《四庫全書》每一書的封頁裡，都要註明詳校官、覆勘、總校官、校對官、謄錄、繪圖等人的官銜和姓名，以示負責。但是，由於《四庫全書》篇幅過鉅，期限也很急促，所以每一書雖經多人一校再校，錯誤仍然難免。清高宗既然重視校勘，所以也就從乾隆四十二年（西元一七七七年）起，規定總裁、總校、分校等官，按錯誤的次數記過處分。總裁官錯誤達三次，覆校、分校官錯誤達兩次的，則交部議處。總裁官記過三次以上的，罰俸半年；總校、分校官記過三次以上的，則罰俸三個月。這個辦法實施後，被記過的官員，不勝其數。像擔任總纂官的紀昀、陸錫熊、孫士毅等三人，在乾隆四十五年（西元一七八〇年）十月到十二月三個月裡，就被記了三次過。被記過最多的是擔任覆校官的何思鈞。何氏當時的官位是「翰林院檢討」，學問不錯，但是他從乾隆四十三年（西元一七七八年）到四十九年（西元一七八四年）間，先後被記過三千七百二十八次。其他如擔任覆校官的翰林院編修王燕緒，也先後被記了三千七百零五次的過。而被罰最重、遭遇最不幸的就是陸費墀。

陸費墀當時的官銜是「日講起居注官，文淵閣直閣事，詹事府少詹事」，修《四庫全書》時，擔任「總校兼提調官」，責任相當繁重。等到預定放在「文淵」、「文源」二閣的《四庫全書》從事覆校時，發現了不少錯誤，清高宗十分生氣，下了一道詔諭，除了擔任總纂官的紀昀和陸錫熊，受到了嚴厲的處分，並要他們賠償改寫、改裝的工價外，對擔任總校官的陸費墀，處分得更嚴酷。詔諭上說：「……至陸費墀，本係武英殿提調，後充總校，所有《四庫全書》，伊一人實始終其事，而其洊陞侍郎，受恩尤重，較之紀昀、陸錫熊，其咎亦更重。現在續辦三分書，應發『文瀾』、『文匯』、『文宗』三閣陳設者，現經該鹽政等陸續領運，俟各書到齊時，除書槅久經成造安設外，所有面頁裝訂木匣刻字等項，俱著陸費墀自出己資，仿照文淵等三閣式樣罰賠。妥協辦理，就近陳設，以示懲儆，而服衆心，不必令鹽商等承辦。」不久，陸費墀也就遭到革職，抑鬱而死。那時，「文瀾」、「文匯」、「文宗」等「南三閣」的書還沒有裝潢好，清高宗又下令查明陸費墀的遺產，只保留一千兩銀子爲其家屬生活之需，其餘財產全部充作賠償裝潢「南三閣」《四庫全書》的經費。

中華書局總經理陸費逵，一方面以先人對《四庫全書》的貢獻感到榮幸，一方面也由於先人的不幸遭遇，益覺校勘的重要，因此籌備編輯《四部備要》時，他就決定不採取影印的方式，而採用活字排印的方法，重新校勘。那時，杭縣丁氏所鑄造的鉛造倣宋聚珍，賣給了中華書局，於是陸費逵就用來排印《四部備要》，所以《四部備要》又稱《倣宋聚珍本四部備要》或《聚珍本四部備要》，每一本書的版心下端也印著「中華書局聚珍倣宋版印」等字樣。

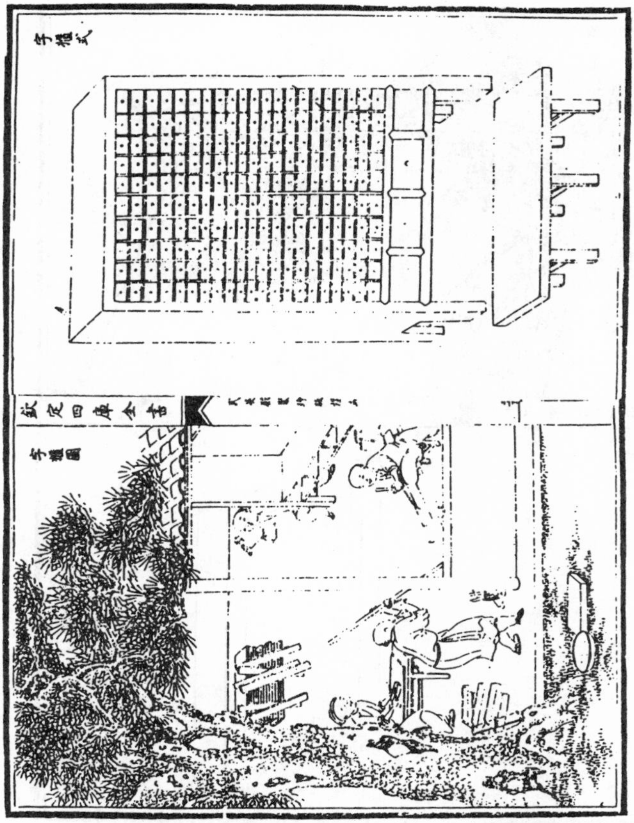

〈說明文字〉《武英殿聚珍版程式》裡的「字櫃圖」和「字櫃式」。

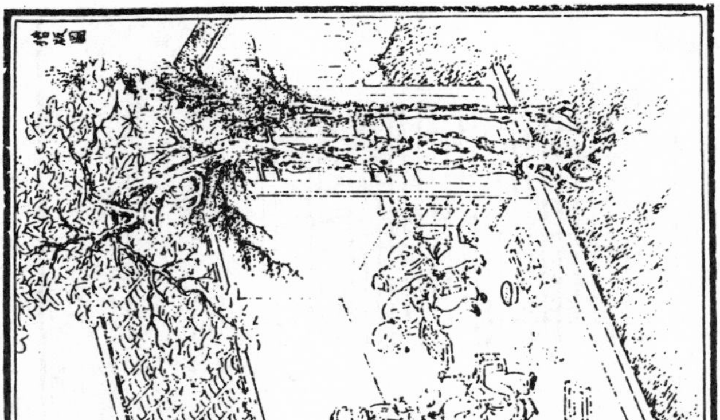

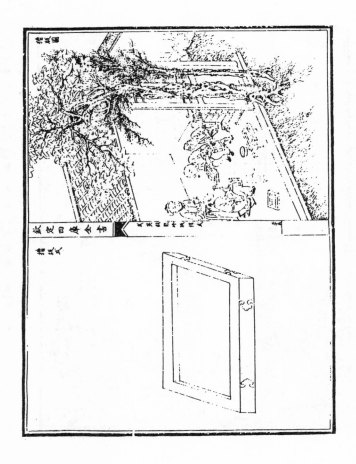

〈說明文字〉《武英殿聚珍版程式》裡的「槽版圖」和「櫃版式」。

斑斕悅目的套色書

現在印刷術發達，報章雜誌，都可用精美的彩色印刷。事實上，中國在六百多年前，就已經懂得用彩色印書了。

民國三十六年（西元一九四七年），國家圖書館曾經購得了一部元代和尙思聰法師注解的《金剛般若波羅密經》。這部佛經是元代至正年間（西元一三四一年左右）資福寺用紅、黑二色套印而成的。經文是朱色，注文是墨色，卷尾還有朱墨套印寫經圖。

套色印刷，始於何時，難以正確考證。明代的曹學佺，曾在四川官右參政，他寫了一部《蜀中廣記》，記錄四川的名勝、人物、風俗、器物及草、木、蟲、魚、花、鳥等。其中有一則引《錢幣譜》說在宋代仁宗慶曆年間，「蜀民以錢重難於轉輸，始製楮爲券，表裡印記，隱密題號，朱墨間錯，私自參驗，書緡錢之數，以便貿易，謂之『交子』。」「交子」，就是紙幣，這是中國用紙幣之始。所謂「朱墨間錯」，可能就是套色印刷之始。

早期的套色印刷，是在同一塊雕版上，在不同的部位，塗上不同的顏色。前面所舉的《金剛般若波羅密經》，就是用這種方法印的。可是這種方法有缺點，那就是上色時兩色太近，容易混雜，會有兩色相滲的現象出現。於是套色技術漸漸改進，到了明代，就有「套版」技術了。

所謂「套版」，就是用多種顏色套印書本的方法。這種方法並不簡單，非常費事。譬如五色套印的本子，每一頁都需要雕刻五塊書版，每塊雕版只刻各種顏色的文字部分。然後每塊雕版塗上不同的顏色，一種一種的套印上去。如果一部一千頁的書，那就要用五千塊木版，套印五千次。這些套色本，不僅刻工要精細，每個字和標點的位置要對得精確，顏色要調得均勻，套印時著力要始終一致，每塊木板要緊密吻合，這樣套印出來的書，才會精美。不然，套印出來的書，如果參差不齊，每頁顏色濃淡不一或顏色重疊，那麼不僅不能「斑斕悅目」，反而是「眼花撩亂」了。

習慣上，套色書的本文用墨色，眉批及校注用紅色，圈點和符號才用其他顏色。明代的歸有光，曾用各種顏色標點《史記》，他說：「黃圈點者，人難曉；硃圈點者，人易曉。」「亦有轉折處用黃圈。」「青擲是不好、要緊處；硃擲是好、要緊處；黃擲是一篇要緊處。」歸氏的書，是用彩筆圈點的，不是套印的，不過，後代很多套印的書，都受他的影響，也就是說，彩色套印的書，不僅爲了美觀，還具有醒目達意的作用。

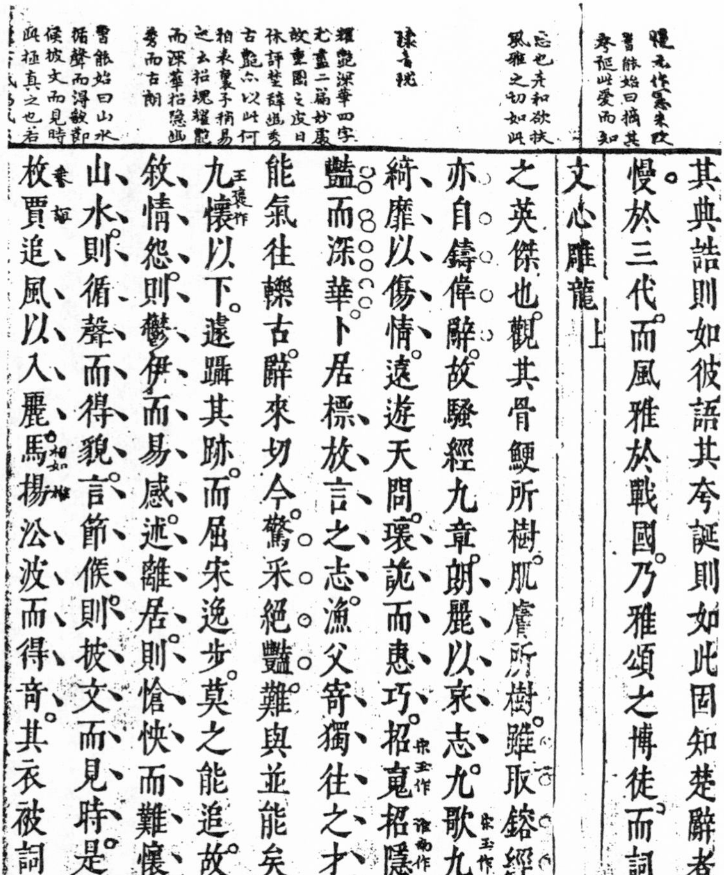
文心雕龍 上 十二

其典誥則如彼語其夸誕則如此固知楚辭者體慢於三代而風雅於戰國乃雅頌之博徒而詞賦之英傑也觀其骨鯁所樹肌膚所附雖取鎔經意亦自鑄偉辭故騷經九章朗麗以哀志九歌九辯綺靡以傷情遠遊天問瓌詭而惠巧招魂招隱耀豔而深華卜居標放言之致漁父寄獨往之才故能氣往轢古辭來切今驚采絕豔難與並能矣自九懷以下遽躡其跡而屈宋逸步莫之能追故其敘情怨則鬱伊而易感述離居則愴怏而難懷論山水則循聲而得貌言節候則披文而見時是以枚賈追風以入麗馬揚沿波而得奇其衣被詞人

〈說明文字〉

這是明代楊慎評的《文心雕龍》，是明代吳興人凌雲用紅、黑、黃、綠、藍五色套印的，現藏臺北的國家圖書館，是很具代表作的套色本。

古籍的版權頁

現在出版品的板權頁，除了標著書名、作（譯）者、定價及出版日期、處所外，通常都印有「版權所有，翻印必究」的字樣。一般來說，各書的版權頁，大同小異，少有變化，更談不上引人欣賞了。

古書並不是每部都有版權頁，一般說來，民間書院或書坊刊刻的書，通常都會在末葉標著刊印的年代和處所，可以說就是古籍的「版權頁」。

這些「版權頁」，由於沒有一定的格式，反而顯得活潑有趣。有一部宋代麻沙鎮劉通判仰高堂刊刻的《音注老子道德經》，卷末有兩行字：「麻沙劉通判宅／刻梓于仰高堂」，這種版權頁，簡單明白。最常見的方式是在書的末頁刻一個「牌記」，中間鐫上刊印的年代和處所。例如元刊本《新編詩學集成押韻淵海》一書，在末頁有「至元庚辰菊節梅軒蔡氏新刊」的長方形牌記一個（圖一）。

「至元」是元順帝的年號，「庚辰」是六年（西元一三四〇年），「菊節」指九月。有時則把印行的方式和繕寫人的姓名等都標出，如宋代用活字排印的《璧水群英待問會元》一書的末頁，寫著「麗澤堂活版印行」、「姑蘇胡昇繕寫」、「章鳳刻」、「趙昂印」等字樣，是相當負責的態度。有時候，會在牌記中寫著品質保證的話，例如宋代慶元三年（西元一一九七年）福建建安余氏所刊的《重修事物紀原》，卷末的牌記上寫著：「此書係求到京本，將出處逐一比校，使無差謬，重新寫作大板雕開，並無一字誤落。旹慶元丁巳之歲。建安余氏刊。」（圖二）南宋紹熙間眉山程舍人宅刊刻的《東都事略》（一百三十卷），在〈目錄〉後有一塊牌記，寫著：「眉山程舍人宅刊行，已申上司，不許覆版。」（圖三）這是最具智慧財產權觀念的版權頁，是現代「版權所有，翻印必究」觀念的濫觴。

爲了使版權頁美觀，出版商也會設計一些圖案，把出版年代、處所等相關字句雕在圖案裡，例如元刊本《新箋決科古今源流至論》一書，在〈目錄〉的最後一頁，刻了「鐘」和「鼎」兩個圖案，分別刻上「延祐丁巳」和「圓沙書院」

（圖四），相當別出心裁。

至元庚辰菊節
梅軒蔡氏新刊
新編詩學集成押韻淵海卷之二十

〈說明文字〉 元刊本《新編詩學集成押韻淵海》一書末頁的長方形牌記。（附圖一）

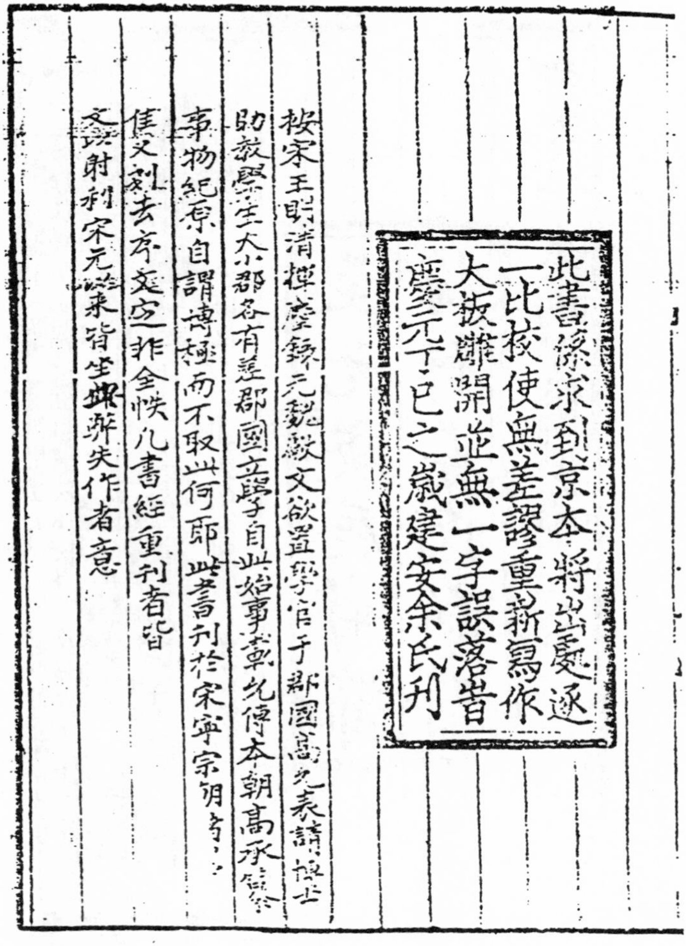
此書係京本將出處逐一比校使無差謬重新寫作大板雕開並無一字誤落
慶元丁巳之歲建安余氏刊

按宋王明清揮麈錄元魏獻文欲置學官于郡國高允表請博士助教學生大小郡各有差郡國立學自此始事載紀傳本朝高承纂事物紀原自謂博極而不取此何耶此書刊於宋寧宗朝有[illegible]僅又刻去序文空作全帙凡書經重刊者皆文誤射利宋元以來皆坐此弊失作者意

〈說明文字〉 宋代余氏所刊的《重修事物紀原》卷末的牌記。(附圖二)

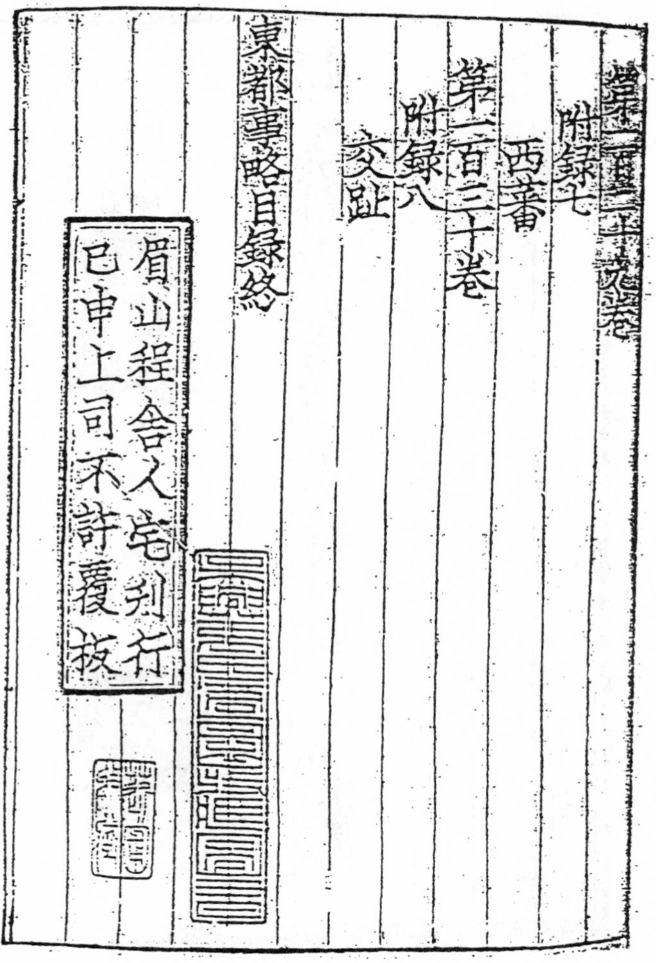
第一百二十九卷
附錄七
西蕃
第一百三十卷
附錄八
交趾
東都事略目錄終
眉山程舍人宅刊行
已申上司不許覆板

〈說明文字〉南宋程舍人宅刊刻的《東都事略》在目錄後的牌記。（附圖三）

〈說明文字〉 元刊本《新箋決科古今源流至論》一書，在目錄後頁刻了圖案。

（附圖四）

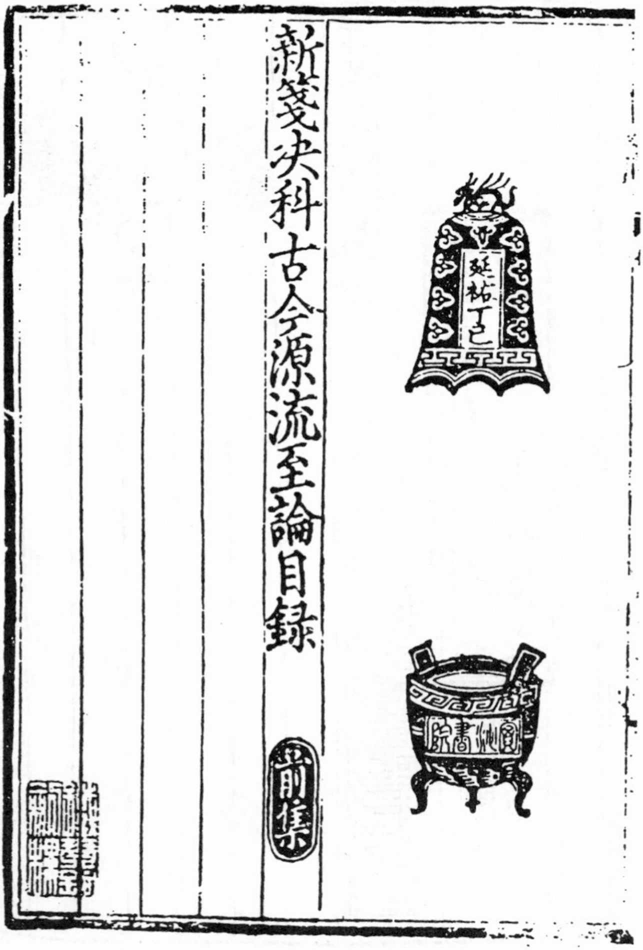

古代的盜版書

前些年，智慧財產權的觀念和法令還沒建立前，國內圖書盜版風氣盛行。當時盜版的方式很多，有的是改書名，有的改作者，所以有時候只憑書目郵購圖書，等接到圖書翻開一看，原來家裡已有是書，只是書名或作者不同而已。其實，在古代也有盜版書，只是盜版的方式與今不同。

由於宋版書的價錢高，所以最常見的盜版方式是把元版書或明版書「版權頁」上的「牌記」（也叫做「木記」）剜掉，重新刻上有宋代年號的「牌記」，至於書的內容則一字未改，買書的人一看「牌記」，誤以爲宋版書，就容易爲書估所欺騙。

另一種常見的方式是擅改書名或作者，內容則改變不多，甚至隻字不改。例如元代劉應李編的《新編事文類聚翰墨大全》，是記載各種應酬文字的書，有點像現在的「應用文大全」或「交際大全」之類的書。由於一般人必備，銷路廣，所以很多書坊都爭相盜版。爲了表示自己出版的本子比別家書坊出版的有特色，以招攬讀者，於是隨意改書名、增損卷數的盜版現象層出不窮。這本書原本是一百四十五卷，可是現在流傳的元刊本和明刊本，有的改成一百九十四卷，也有改爲九十八卷或一百三十四卷的。至於書名，有改爲《新編事文類聚翰墨全書》的，也有簡稱《翰墨大全》的。有的甚至把作者改爲「詹友諒」，以欺騙讀者，讓人誤以爲是新書。

這些盜版書，大多是書估爲了賺錢，把原書改頭換面，牟取不正當的利益。還有一些人，則既要利，也要名。二十幾年前，筆者任職於國家圖書館時，曾讀過兩部唐人詩集：一部叫做《中唐詩》，八十一卷，是明代嘉靖庚戌二十九年（西元一五五〇年）毘陵蔣孝編刊的（以下簡稱蔣刻）；另外一部叫做《廣十二家唐詩》，也是八十一卷，是明代萬曆年間陸汴編刊的。初看這兩部書，除了卷數一樣外，其餘書名、編刊者都不一樣，一般人都以爲是兩部不一樣的書。我經過詳細比對，才發現它們其實是一部書，是陸汴把蔣孝的書盜爲己有，陸汴一方面把書名改了，一方面把蔣孝寫的〈中唐詩序〉抽掉，換上自己寫的〈刻廣十二家唐詩序〉，其它不僅內容一字不改，就連版片都沒換，是個標準的盜版書。

這兩部書，內容都是收集中唐十二位名詩人的詩。他們是：

唐儲嗣宗的《儲光羲集》五卷

唐獨孤及的《毘陵集》三卷

唐劉長卿的《劉隨州集》十二卷

唐錢起的《錢起詩集》十卷

唐盧綸的《盧户部集》十卷

唐孫逖的《孫集賢詩集》一卷

唐崔峒的《崔補闕詩集》一卷

唐劉禹錫的《劉賓客詩集》六卷《拾遺》一卷

唐張籍的《張司業集》八卷

唐王建的《王建集》八卷

唐賈島的《長江集》十卷

唐李商隱的《李義山詩集》六卷

蔣刻和陸刻，不僅內容完全相同，就是兩部書缺頁的地方、修補的地方，也都完全一樣。不僅如此，連兩者那一個字漫漶、那裡是墨丁，都是一樣。顯然是陸汴買到了蔣刻的版片，爲了省事，就只換了前面的序，其他的就盜爲己有了。

陸汴是明代萬曆元年癸酉（西元一五七二年）的舉人，萬曆八年庚辰（西元一五八〇年）考取進士，官做到吏部司勳郎，並不是普通的書估。以如此有地位的人，爲什麼還要盜版呢？除了爲利，更重要的是爲名。

《左傳》上說，「立德」、「立功」、「立言」爲三不朽。其中「立言」一項，最爲不易。並不是每一個人都可以寫書，即使有書「行世」，但卻不一定能「傳世」。我們看古人的著作，能留傳到現在的，百不及一，就知「立言」之不易了。而刻書，則是一種「立言」的方式。因爲只要把前人的著作刊刻行世，刻書者的姓名，就會隨著書本留存下去，因此要留名於世，刻書不失爲最簡易的方法。清代的張之洞在《書目答問》一書的後面，有一則〈勸刻書說〉，他說：

凡有力好事之人，若自揣德業學問，不足過人，而欲求不朽者，莫如

> 刊布古書一法。但刻書必須不惜重費，延聘通人，甄擇秘籍，詳校精雕（注：刻書不擇佳惡，書佳而不讐校，猶縻費也。）其書終古不廢，則刻書之人，終古不泯，如歙之鮑，吳之黃，南海之伍，金山之錢，可決其五百年中，必不泯滅，豈不勝於自箸書、自刻集者乎（注：假如就此類中舉一錄刻成叢書，即亦不惡。）且刻書者傳先哲之精蘊，啟後學之困蒙，亦利濟之先務，積善之雅談也。

張氏這一段話中所說「歙之鮑」，是指鮑廷博，他輯刊了《知不足齋叢書》；「吳之黃」，是指黃丕烈，他輯刊了《士禮居黃氏叢書》；「南海之伍」，是指伍崇曜，他輯刊了《粵雅堂叢書》；「金山之錢」，是指錢熙祚，他輯刊了《守山閣叢書》、《指海》、《珠叢別錄》、《式古居彙鈔》等。張之洞最後說「刻書者，傳先哲之精蘊，啓後學之困蒙，亦利濟之先務，積善之雅談也。」這樣說來，刻書不僅可以「立言」，又可以「立德」了。

宋代的司馬光曾說：「積金以遺子孫，子孫未必能盡守；積書以遺子孫，子孫必未能盡讀；不如積陰德于冥冥之中。」近代藏書家認爲有一件事能兼顧「積金」、「積書」與「積德」，那就是「刻書」，難怪像陸汴這種人，中過進士，位居高官的人，居然也做起名爲刻書，實則盜版的事情來了。

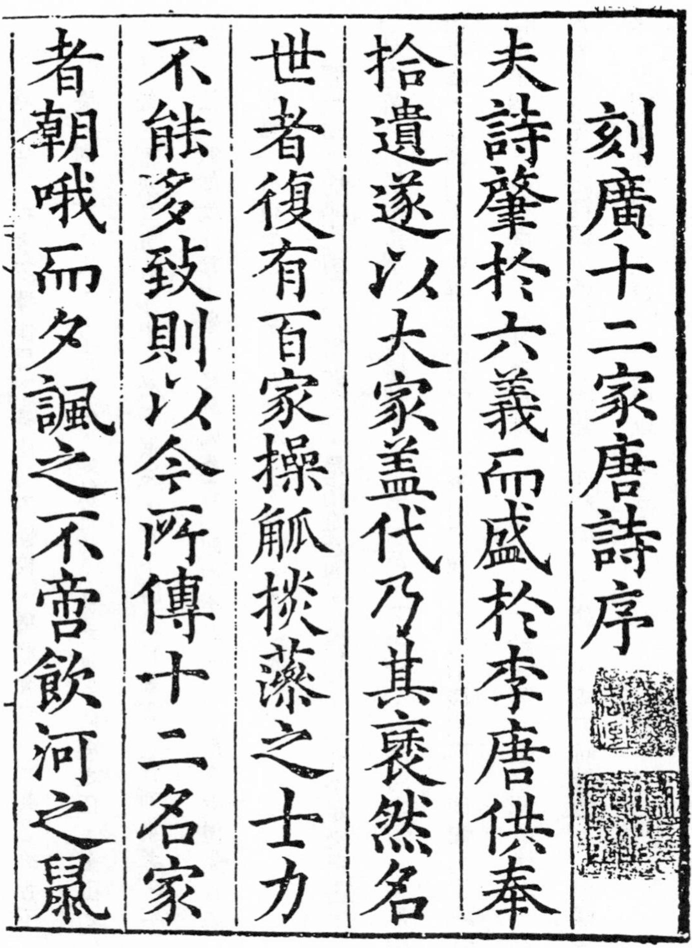
刻廣十二家唐詩序
夫詩肇扵六義而盛扵李唐供奉
拾遺遂以大家蓋代乃其褎然名
世者復有百家操觚掞藻之士力
不能多致則以今所傳十二名家
者朝哦而夕諷之不啻飲河之鼠

〈說明文字〉 這是明代萬曆刊《廣十二家唐詩》，是一部盜版書。

當作禮物的「書帕本」

我們是個講究禮貌的民族，出門遠遊回來時總要帶個禮物，餽贈親友。如果是初次見面的禮物，叫做「贄」。

前人用來做禮物的東西很多，動物方面，有羊、鹿、豬、魚、黃雀、雞等；植物方面，有蘭、銀杏、橘、菊花等；器物方面，有頭巾、絹布、團扇、手帕等。

其中手帕，是士大夫及官吏們常用來餽贈的禮品。《宋史》（卷三八四）〈陳康伯傳〉就說：「金使至，詔康伯館伴，端午賜扇帕，與論拜受禮，言者以坐事論罷，知泉州。」明代李默撰寫的《孤樹裒談》一書也記載說：「于肅愍（于謙）巡撫河南、山西，前後幾二十年，每入京議事，獨不持土物賄當路，汴人嘗誦其詩曰：『手帕磨菰與線香，本資民用反爲殃，清風兩袖朝天去，免得閭閣話短長。』」于謙是明朝永樂間人，可見到了明代，手帕還是用來行賄的禮品。

明代出外巡察的大官，在回來朝見天子時，通常用一條手帕和一部書送給朝廷的權貴，做些人際關係，這種和手帕一起送人的書本，後人叫它「書帕本」

「書帕本」的印行費用，包括木板、紙張、刻工及裝訂費等，一部分是用自己的俸錢刊刻，但通常是公款支出。有時候公款不足，而且刻一部也相當費時，所以很多「書帕本」，並不眞正僱工刻印，而是買現成的書和書版，只把序文換成自己的序，或在卷首加上自己「校刊」的字樣，這樣一來，所費就有限了。國家圖書館有一部明朝嘉靖十六年游居敬所刊刻的韓愈和柳宗元的合集（見圖一），又有一部明朝嘉靖三十五年莫如士刊刻的韓柳全集（見圖二），這兩個本子，從頭到尾，版式一模一樣，原來是莫氏當御史出巡，回京時爲了刻書送人，於是就把游氏所刊的韓柳文集，把卷首第二行的「明巡按直隸監察御史南平游居敬校」剜掉，改刻爲「明巡按直隸監察御史新會莫如士重校」（見圖一、圖二）。「書帕本」到這一種地步，送禮也成爲虛僞的形式了。

明代耿定向所寫的《先進遺風》一書裡說：「梁司徒公材，平生清苦自持，嚴於操檢，爲杭州守郡，故以繁富稱於天下。公練衣粗食，屛斥華好泊如也。會入覲，止具一書二帕以贄京貴，橐中無一長物，知者詫之。」可見到了後來，一書一帕（或二帕）已不能滿足權貴的慾望，而改用金銀，明代吏治的腐敗，於此可見。

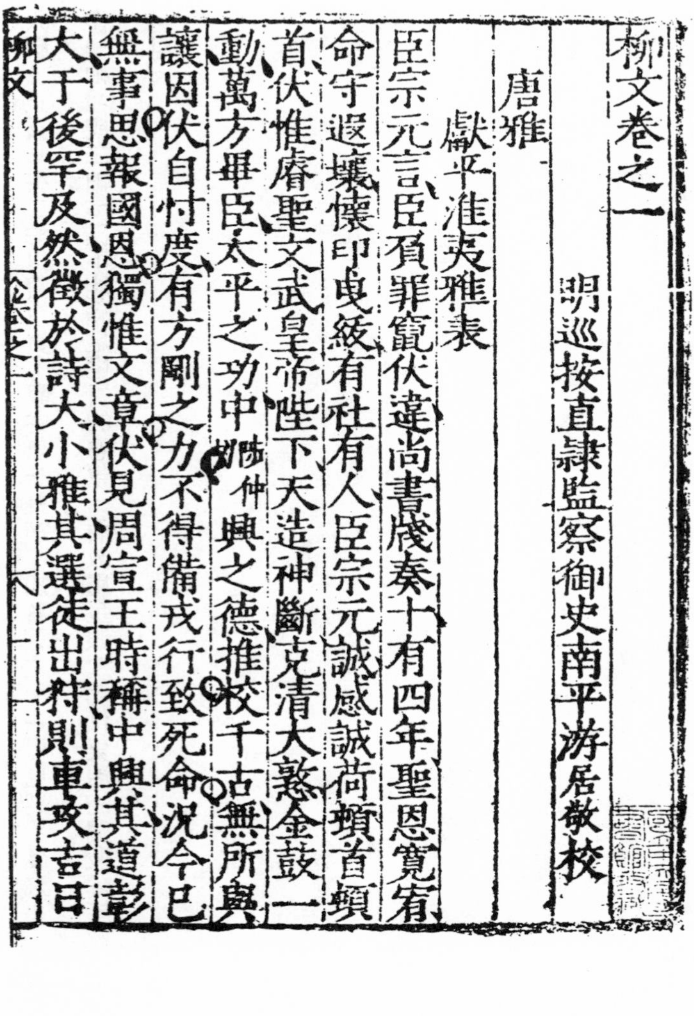

柳文卷之一

明巡按直隸監察御史南平游居敬校

唐雅

獻平淮夷雅表

臣宗元言臣負罪竄伏違尚書牋奏十有四年聖恩寬宥
命守遐壤懷印曳紱有社有人臣宗元誠惑誠荷頓首頓
首伏惟睿聖文武皇帝陛下天造神斷克清大憝金鼓一
動萬方畢臣太平之功中(陟仲)興之德推校千古無所與
讓因伏自忖度有方剛之力不得備戎行致死命況今已
無事思報國恩獨惟文章伏見周宣王時稱中興其道彰
大于後罕及然徵於詩大小雅其選徒出狩則車攻吉日

柳文　卷之一

〈說明文字〉　明朝嘉靖十六年游居敬所刊刻的韓愈和柳宗元的全集。（附圖一）

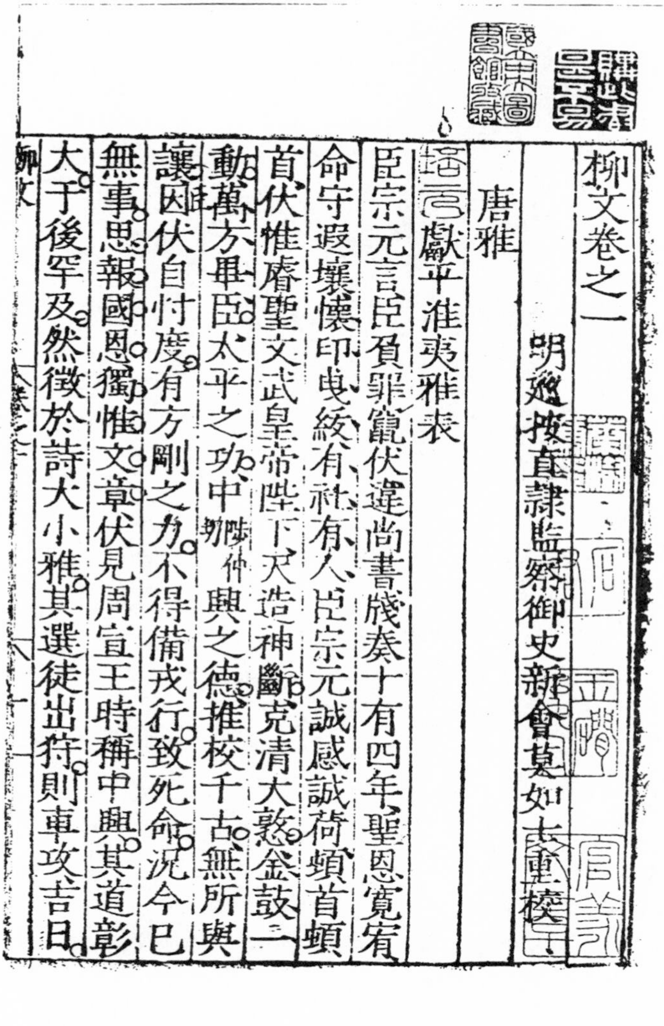
柳文卷之一
明巡按直隸監察御史新會莫如士重校
唐雅
獻平淮夷雅表
臣宗元言臣負罪竄伏違尚書牋奏十有四年聖恩寬宥
命守遐壤懐印曳紱有社有人臣宗元誠感誠荷頓首頓
首伏惟睿聖文武皇帝陛下天造神斷克清大憝金鼓一
動萬方畢臣太平之功中興之德推校千古無所與
讓臣伏自忖度有方剛之力不得備戎行致死命况今已
無事思報國恩獨惟文章伏見周宣王時稱中興其道彰
大于後罕及然徵於詩大小雅其選徒出狩則車攻吉日

〈説明文字〉明朝嘉靖三十五年莫如士刊刻的韓愈全集，是用游刻的本子剜改而成。（附圖二）

用各種版片補綴而成的書

——談「百衲本」

僧人都是用刻苦修行的，所以他們穿的衣服，破了一補再補。這種一再補綴，有很多補釘的衣服，叫做「百衲」。「百」，是衆多的意思。後來引伸爲凡是用多種材料綴合而成的事物，都用「百衲」名之。譬如唐代李綽的《尚書故實》一書裡說：「李汧公取桐孫之精者，雜綴爲之，謂之『百衲琴』。」可見唐代的李汧公用各種桐樹的嫩枝，拼湊製造的琴，當時就叫它爲「百衲琴」。又如書法家蔡君謨，把字寫在一張張的方格紙上，然後再從其中挑出寫得較好的拼綴成碑形，當時人稱它爲「百衲碑」。因此，用各種不同版刻的書版綴合而成的書，就叫它爲「百衲本」。

「百衲本」既然是用兩種以上的版片綴合而成，整體上看來，自然不甚美觀。那麼爲什麼要這樣拼湊一本書呢？這是因爲刊刻精美而錯字較少的古書，尤其是時代較早如宋元的刊本，傳世既少，而且每多不完整，所以只好把這些不完整的版片綴合起來，使它成爲完整的一部書。像清代的宋犖，曾經用兩種宋版和三種元版的《史記》版刻，綴合成一部八十卷的《百衲本史記》。

在書林上最有名的「百衲本」，是近代張元濟先生所編輯的《百衲本二十四史》。

這部《百衲本二十四史》，書名和所用的版本如下：

《史記》	宋代慶元年間黃善夫刊本
《漢書》	宋代景祐刊本
《後漢書》	宋代紹興刊本，一部分用元覆宋本配補。
《三國志》	宋代紹熙刊本，一部分用宋紹興刊本配補。
《晉書》	宋刊本。
《宋書》	宋代蜀大字本，一部分用元明遞修補配補。
《南齊書》	宋代蜀大字本。

《梁書》　宋代蜀大字本，一部分用元明遞修本配補。
《陳書》　宋代蜀大字本。
《魏書》　宋代蜀大字本。
《北齊書》　宋代蜀大字本，一部分用元明遞修本配補。
《周書》　宋代蜀大字本，一部分用元明遞修本配補。
《隋書》　元代大德年間瑞州路刊本。
《南史》　元代大德年間瑞州路刊本。
《北史》　元代大德年間瑞州路刊本。
《舊唐書》　宋代紹興刊本，一部分用明代聞人銓覆宋本配補。
《新唐書》　宋代嘉祐杭州刊本，一部分用其他宋本配補。
《舊五代史》　嘉業堂刊《永樂大典》輯本。
《五代史記》　宋代慶元五年刊本。
《宋史》　元代至正刊本，一部分用明代成化刊本配補。
《遼史》　元代至正刊本。

《金史》　元代至正刊本，一部分用翻元本配補。

《元史》　明代洪武刊本。

《明史》　清代武英殿本。

這部《二十四史》所用的本子，可以說都是目前正史所存最珍貴的善本。只是《百衲本二十四史》不像宋犖用好幾種版刻綴合成一部書，而是用好幾部不同版刻的書組合成一部「叢書」，所以有人說這只是「配本」，不是標準的「百衲本」。不過，張元濟先生編的《百衲本二十四史》，有幾種是遠從日本的「靜嘉堂文庫」和日本的「帝室圖書寮」借書影印得來的，十分珍貴。

百衲本二十四史
宋史
四部叢刊史部

〈說明文字〉《百衲本二十四史》中的《宋史》。

古書的袖珍本

——談「巾箱本」

古代的袖珍本，有個很可愛的名詞，叫做「巾箱本」。

「巾」的種類很多，古代凡是用來擦拭的、佩帶的、包裹的布塊，都叫做「巾」。不過，這裡指的是手巾和頭巾。

從前一般的人，都用頭巾裹頭，所以對頭巾很講究。在宋代時，頭巾按照質料的不同，有白綸巾、蟬翼巾、鹿皮巾、葛巾、軟巾等多種。按照形狀區分，又有所謂萬字巾、鑿子巾、飛簷巾、東坡巾、兩儀巾、仙桃巾等類別。一般人出遠門的時候，總是把手巾和頭巾放在一個特製的箱子裡。這個箱子，就叫做「巾箱」。

什麼是「巾箱本」呢？讀書人出門時，習慣上都要攜帶一些書，以便隨時誦讀。但是一般的書，部帙太大，不方便攜帶，於是另外抄寫或刊刻和巾箱大小一樣的本子，放在巾箱裡，方便隨身攜帶，可以隨時取閱。於是就把這種可以放在巾箱裡的小本圖書，叫做「巾箱本」。

「巾箱本」大概在南北朝時就流行了。《南史》（卷四十一）蕭鈞的傳記說：「（蕭）鈞常手自細書寫五經，部爲一卷，置于巾箱中，以備遺忘。侍讀賀玠問曰：『殿下家自有墳素，復何須蠅頭細書，別藏巾箱中？』答曰：『巾箱中有五經，於檢閱既易，且一更手寫，則永不忘。』諸王聞而爭效爲巾箱五經。巾箱五經，自此始也。」

「巾箱本」本來是爲了方便隨身攜帶，但是到了宋代雕版印刷術盛行以後，便大量流傳，甚至用來在考試時夾帶舞弊的工具。《宋會要輯稿》裡說：「今書坊自經、史、子、集、事類、州縣所試程文，專刊小板，名曰『夾袋册』。士子高價競售，專爲懷挾之具。」所謂「夾袋册」，就是變相的「巾箱本」。宋代由於考試作弊的風氣很盛，所以南宋寧宗嘉定年間，曾經下令銷燬這些專供夾帶用的「巾箱本」。

「巾箱本」由於字體太小，很傷眼力，所以傳世者不多。至於那些專供夾帶作弊的變相「巾箱本」，由於沒有太大的價值，所以更是罕見了。清代的《鐵琴銅劍樓藏書目錄》，著錄了一部宋代刊印的《婺本點校重言重意互註尚書》，是很小的巾箱本，長四寸，寬三寸餘而已。本文附圖，是宋代黃庭堅撰的《黃太史精華錄》，是明代所刊的巾箱本，高十四點七公分，寬十一點五公分，現藏國家圖書館。

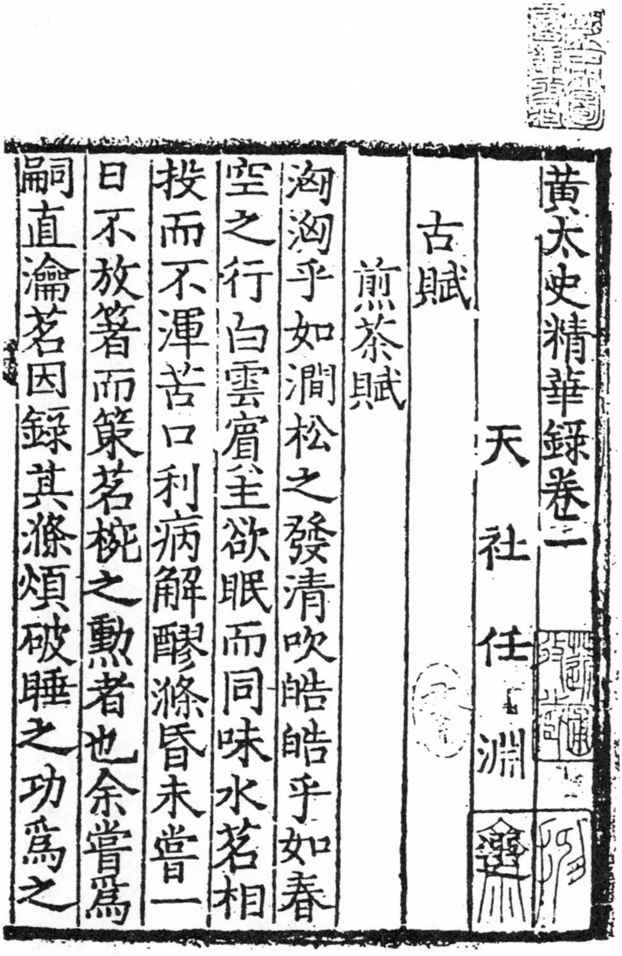
黃太史精華錄卷之一

天社任淵

古賦

煎茶賦

洶洶乎如澗松之發清吹皓皓乎如春空之行白雲賔主欲眠而同味水茗相投而不渾苦口利病解醪滌昏未嘗一日不放箸而策茗椀之勳者也余嘗爲嗣直瀹茗因錄其滌煩破睡之功爲之

〈說明文字〉這是宋代黃庭堅的《黃太史精華錄》，明代刊本，高十四・七公分，寬十一・五公分。

兼具文學與美術價值的「題跋」

前人在獲得一部珍本祕笈後，每每喜歡在書的末葉或空白的地方，寫上一段文字。這些文字，習慣上叫做「題跋」或「題記」。

「題跋」的內容，無所不包。有時記載購得珍本的曲折經過或書價；有時說明該本的特色；有時則敘述該本流傳的經過；有時則記述校勘的經過。譬如清代初年的著名學者季振宜，曾經用朱、墨、藍三色筆，校勘錢謙益的《全唐詩》稿本。每校畢一個段落，就寫上一則題記。在第六十七册《盧仝詩》卷末，有一則題記說：「康熙八年五月初八日，病中校補。季振宜記。」在第七十一册《白氏長慶集》卷六末頁有一則題記說：「康熙十一年正月九日，季振宜對宋刻校。」在第七十二册《白氏長慶集》卷十三末頁有一則題記說：「康熙十一年正月十六日，季振宜對宋刻校。」在第七十三册《白氏長慶集》卷十九末頁有一則題記說：「康熙十一年正月十九日，季振宜對宋刻校，時大雪奇寒，得姜府丞、史編修書，甚溫。」從這些題記，可知幾件事：一是季氏在病中、過年及大雪奇寒時，仍不忘校書，令人敬佩；二是季氏校書速度甚速，有時一天可以校兩卷，足見其用功。

歷代「題跋」寫得最多的，該數清代乾隆年間的藏書家黃丕烈了。黃氏每得到一本祕笈，都會寫上「題跋」。有一次，經過多次的討價還價，他用白金六十兩購得宋刻本宋代名學者魏了翁的著作《魏鶴山集》，得來不易，高興極了，先後寫了四篇「題跋」。黃氏的題跋，不僅多，而且內容包羅萬象，掌故甚多，讀來饒有趣味。有一次他購得一部宋版的《戰國策》，他寫了一則題記說：「昔余赴禮部試，入都，於收舊攤買得宋版《戰國策》，牙籤二，未知誰氏物，書去而籤存，殊令人繫思也。」這則題記，一方面記述購得的經過，一方面對書的舊主，表達無限的懷思。有一次，他購得一部曾經陸敕先手校的陸游《南唐書》。這部書給書蟲蛀蝕得很嚴重，他請人重新裝訂，花了一些錢，於是寫了一則題記，說：「茲册爲陸敕先手校本，然其所據又爲錢遵王抄本矣。聞此書出張青芝山堂，多爲蠹蝕，其上方有闕字，亦飽蠹腹，重爲陸校，命工重裝。初得此書，用番錢一枚，若以裝工計之，又多費幾番錢矣。予之愛書，并愛藏書者，後人其諒予苦心哉。」蟫，是書蟲，也寫成蠹，又叫白魚、銀魚。番錢一枚，就是一銀元。從這則題記，可以知道這部書的價錢和黃氏買這部書的心情。有一次，有個姓金的藏書家售書，他購得一批宋版書，其中有一部《孟浩然詩集》（三卷），他寫了一則題記，說：「余於五月抄自都門歸，聞桐鄉金氏書有散在坊間者，即訪之，得諸酉山堂書凡五種，宋刻者爲《孟浩然詩集》、錢杲之《離騷集》、傅雲莊《四六餘話》，影宋抄者爲岳版《孝經》、呂夏卿《唐書直筆新例》，索白鏹六十四金，急欲歸之，而議價再三，牢不可破，卒以京板《佩文韻府》相易，貼銀十四兩，方得成此交易。」從這段記載，一方面可知當時的書價，一方面可知當黃氏和書估討價還價的情形。白鏹，指的是白銀，白鏹六十四兩，就是六十四銀元。由於黃氏熟悉書林的掌故，他寫的「題跋」，很受人重視。後來，凡是有黃氏題跋的書，都益顯珍貴，大家稱它爲「黃跋本」。

這些「題跋」，不僅文章好，內容充實，還可以欣賞歷代學者的書法眞蹟，兼具文學和藝術的趣味。譬如明代大畫家唐伯虎（寅），他的畫比較常見，但是他在古書上的「題跋」，就很罕見了。我特地找到了他在明抄本宋朝張世南所撰《游宦紀聞》一書上的「題跋」一則，文字雖不多，但筆法精妙，神氣超邁，並鈐有「唐寅私印」印章一枚，十分珍貴。

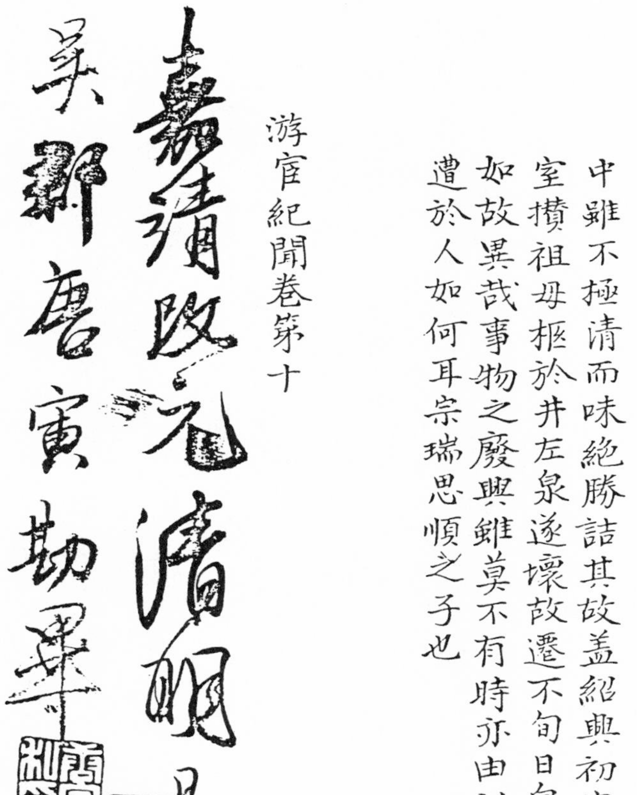

中雖不極清而味絶勝詰其故盖紹興初宗
室攢祖母柩於井左泉遂壞故遷不旬日泉
如故異哉事物之廢興雖莫不有時亦由所
遭於人如何耳宗瑞思順之子也

游宦紀聞卷第十

嘉靖改元清明日
吳郡唐寅勘畢

〈說明文字〉　這是明代名畫家唐伯虎（寅）在明抄本《游宦紀聞》（宋張世南撰）上所寫的題跋。

不能刊刻皇帝的名字

——談古書刊本中的避諱

避諱，就是迴避某些人的名諱。一般來說，有三種名諱要迴避，以示尊敬。第一種是自己先人的名諱。譬如蘇東坡的祖父叫蘇序，所以蘇氏兄弟爲別人寫序時，不敢用「序」字，而改用「敘」或「引」。現在很多人在寫論文時，也習慣用「敘」或「引」，就是受蘇氏父子的影響。第二種是聖人的名諱，例如孔子名丘，所以古人把「丘」字改成「邱」，或者故意缺一筆寫成「丘」。近代名畫家張大千先生故居「摩耶精舍」中的「梅丘」，就寫成「梅丘」。除了孔子，有些朝代規定也要迴避周公、老子等聖人的名諱。第三種是皇帝的名諱。中國從秦朝到清朝，除了元代，都規定要迴避皇帝的名諱。元代爲什麼不避諱呢？因爲元代人還是用蒙古名，元代皇帝沒有中文姓名，他們的名字是把蒙古文音譯成中文，採用音譯，就會有多種譯名，無法施行避諱制度。除了上列三種人的名諱要迴避外，在唐肅宗（西元七五六年—七六一年）時，因厭惡安祿山，所以下令全國地名有「安」字的，全部要改掉，譬如把「安定郡」改爲「保定郡」，「安昌縣」改爲「義昌縣」。這可以說很特殊的避諱例子。

到了宋代雕版印刷術流行後，連刻書都要避帝王的名諱，其中又以宋代的避諱規定最爲嚴格。宋代避諱嚴格的地方有二：一是不僅要避當時的皇帝的名諱，連已去世的宋代帝王名諱也要迴避；二是規定不僅要迴避帝王的名字，還要避「嫌名」。《禮記・曲禮》說：「禮不諱嫌名。」所以早期的避諱方式，是不避「嫌名」的。甚麼叫「嫌名」呢？就是和名字同音和音近的字。例如宋仁宗叫趙禎，不但「禎」字要避，連「楨」、「貞」、「偵」、「郋」、「媜」、「徵」、「旍」、「癥」、「湞」、「隕」、「寊」、「揁」、「瀓」等字都要迴避。

避諱的方法很多，在刊刻古書時，最常用的方法有兩種：一是缺筆，通常是缺最後一筆，這種方法叫做「爲字不成」。譬如宋太祖名「匡胤」，「匡」字寫成「匡」，「胤」字寫成「胤」；宋太宗名「炅」，寫成「炅」；宋眞宗名「

恒」，寫成「恒」；宋仁宗名「禎」，寫成「禎」；宋神宗名「頊」，寫成「頊」；宋哲宗名「煦」，寫成「煦」；宋徽宗名「佶」，寫成「佶」；宋欽宗名「桓」，寫成「桓」；南宋高宗名「構」，寫成「構」；宋孝宗名「眘」，寫成「眘」；宋光宗名「惇」，寫成「惇」；宋理宗名「昀」，寫成「昀」。另一種方法是改字，改字的方法大抵有兩種，一是「音改」，一是「義改」。所謂「音改」，就是改成同音或音近的另一個字。譬如宋太祖名「匡胤」，「匡」改成「光」；宋仁宗名「禎」，改爲「貞」；宋欽宗名「桓」，改爲「亘」；宋光宗名「惇」，改爲「崇」；清聖祖名「玄燁」，「玄」改爲「元」；清世宗名「胤禛」，「胤」改爲「允」；清高宗名「弘曆」，「弘」改爲「宏」，「曆」改爲「歷」。所以我們現在看清代刊刻的圖書，「鄭玄」都寫成「鄭元」，「弘治」（明孝宗年號）都寫成「宏治」，「曆法」「曆書」都寫成「歷法」「歷書」。所謂「義改」，就是改成字義相近的另一個字。譬如宋代始祖（聖祖）名「玄朗」，「朗」改爲「明」；宋太祖名「匡胤」，「匡」改成「正」，或改爲「輔」、「規」、「糾」等字；「胤」改爲「裔」；宋眞宗名「恒」，改爲「常」；宋仁宗名「禎」，改爲「祥」；宋英宗名「曙」，改爲「曉」或「旭」；宋神宗名「頊」，改爲「玉」；清仁宗名「顒琰」，「琰」改爲「琬」；清宣宗名「旻寧」，「寧」改爲「甯」；（「寧」字的本義是「願詞也」，「甯」字的本義是「所願也」，所以這兩字音和義都相同）。「改音」和「改義」的方法，叫做「易以他字」。

南北宋共有十八個皇帝，加上宋太祖的父親、祖父到始祖，所要迴避的名字和「嫌名」很多，尤其是生在南宋末年的人，不論是寫文章、辦公文、參加考試或刻書，都很困擾，動輒得咎。宋代紹興年間的洪邁，在他所著《容齋隨筆三筆》（卷十一）中談到當時參加科舉考試，萬一寫了皇帝的名字，就會被淘汰落第的情形，他說：「本朝尚文之習大盛，故禮官討論，每欲其多，廟諱遂有五十字者。舉場試卷，小涉疑似，士人輒不敢用，一或犯之，往往暗行黜落。方州科舉尤甚，此風殆不可革。」宋代官府爲了方便讀書人考試、官吏寫文章及刊刻圖書時的需要，在南宋孝宗淳熙年間和光宗紹熙年間，分別頒布了《重修文書式》和《重修文書令》，把要避的歷朝帝王名字和「嫌名」列出，也詳定避諱的方法。這兩種文獻，收在《禮部韻略》一書的附錄《韻略條式》裡。現在把宋代皇帝應避嫌名較多的部分摘出供讀者參考，一方面可以知道古代避諱的煩瑣，一方面也可以增進對古籍的認識。

宋聖祖名「玄朗」，應避的「嫌名」有：懸、縣、徏、玹、𥌋、頊、伭、眗、畁、泫、訇、胘、眩、閎、誸、蚿、犳、妶、狘、獧、佷、崀、樃、宦、朖、悢、誏、朖、烺、裉、䁁、䀎、脼、硠、狼、筤、賨、閬、浪、埌。

宋太祖名「匡胤」，應避的「嫌名」有：筐、邼、眶、恇、劻、洭、髷、距、蚟、茥、軭、頣、眶、框、閶、眶、迋、軖、酳、靷、螾、引、朄、鈏、軸、酌、敵、涓、潰、軸、戭、廴、杓、螾、絇。

宋英宗名「曙」，應避的「嫌名」有：署、抒、睹、諸、藷、薯、潛、嫟、樹、尌、䝪、僜、裋、襡、豎、尌、侸、儮、躅、媰、豖、襡、澍、瓄、屬、瓄。

宋欽宗名「桓」，應避的「嫌名」有：梡、瓛、捖、完、丸、𠔨、肒、奂、院、峘（亦作豗）、屼（亦作虺）、岏、洹、汍、絙、紈、綄、垸、芄、雚、莞、睆、荳、雚、萑、雈、鸛、鳩、莧、鞔、羦、貆、獂、狟、脘、欵、麂、鴅、狟、粽、狟、麲、查、皖、垣、甗、萓、蜿、萢。

宋高宗名「構」，應避的「嫌名」有：遘、媾、覯、購、嶇、冓、磚、煹、傋、冓、蘼、篝、韝、冓、姤、詬、逅、骺、貼、呴、鴝、句、軥、怐、佝、雊、鉤、鉤、詢、袧、岣、呱、珣、彀、觳、轂、彀、穀、搆、彀、彀、彀、彀、穀、穀、惗、鸜、購、夠、彀、彀、傾、冓、瓷、霧。

其他像宋太宗、宋眞宗、宋仁宗、宋神宗、宋哲宗、宋徽宗及南宋諸帝王，也都有不少應避的「嫌名」。筆者略作統計，北宋九朝應避的「嫌名」，約二百多字，南宋九朝合計約一百多字，難怪洪邁要說當時參加考試的考生，對於一些「可能」涉及「嫌名」的字都不敢用，免得落第。

秦代以後，除了元代以外，都有避諱的規定，只是宋代較爲嚴苛，「嫌名」最多。這種避諱的規定，影響古書的內容很大，上面所舉清代刊本把「弘治」改爲「宏治」，「鄭玄」改成「鄭元」，「曆法」改爲「歷法」等，只是字面的改易，於文義、內容，還不致產生誤解，有些地方因避諱改字，而造成誤解就不能不注意了。譬如宋代眞宗大中祥符二年（西元一〇〇九年），黎州夷人爲亂，於是派侍其曙（「侍其」是複姓，名曙）去招撫平定亂事，宋代很多史書記載這件事時，爲了避宋英宗的名諱，把「侍其曙」改爲「侍其旭」，如果不知避諱的道理，很容易誤以爲是兩個人。又如唐代顏師古撰寫的《匡謬正俗》（八卷）一書，宋代人爲了迴避宋太祖的名諱，把書名改成《刊謬正俗》或《糾謬正俗》，變成一書有三個書名。元代人沒有避諱的規定，所以元代托托等人編的《宋史・藝文志》裡，把《刊謬正俗》放在〈經解類〉，把《糾謬正俗》放在〈儒家類〉，托托等人，顯然誤把一書當成兩本書。

這種刻書時要避諱的規定，在當時雖然不方便，不過，我們現在倒可以根據書中避諱的現象，研究出刻書的年代。譬如國家圖書館有一部宋代刊刻的《十一家註孫子》，書中「玄」、「弘」、「殷」、「頊」、「頲」、「讓」、「桓」、「完」、「洹」、「購」、「愼」等字都缺筆。「玄」是宋聖祖的名；「弘」、「殷」是避宋太祖父親的名諱「弘殷」；「頊」、「頲」是宋太宗趙炅的嫌名；「讓」是避宋英宗父親的名諱「趙允讓」；「桓」是宋欽宗的名諱，「完」、

「洹」則是他的「嫌名」；「購」是宋高宗趙構的「嫌名」；「愼」則是宋孝宗趙眘的「嫌名」（其實，「眘」是「愼」的古文）。從這些避諱字，可以知道這部書刻於宋孝宗年間。另外，從「嫌名」裡，我們可以認識很多冷僻字的讀音和字義，也是避諱知識給我們的益處。

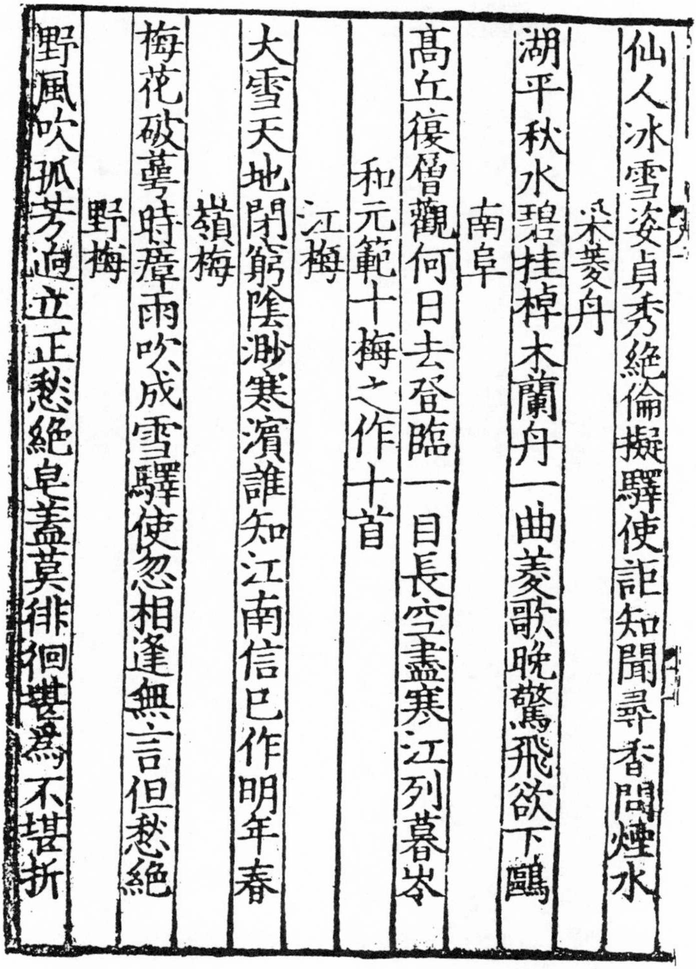

仙人冰雪姿貞秀絕倫擬驛使詎知聞尋香問煙水
采菱舟
湖平秋水碧桂棹木蘭舟一曲菱歌晚驚飛欲下鷗
南阜
高丘復層巘何日去登臨一目長空盡寒江列暮岑
和元範十梅之作十首
江梅
大雪天地閉窮陰渺寒濱誰知江南信已作明年春
嶺梅
梅花破萼時瘴雨吹成雪驛使忽相逢無言但愁絕
野梅
野風吹孤芳逈立正愁絕皂蓋莫徘徊甚爲不堪折

〈說明文字〉　這是宋刻本朱熹《晦庵先生文集》。請留心看第一行的「貞」字，缺末筆，是避宋仁宗名諱的嫌名。

清風不識字．何必亂翻書

——談古書裡的政治忌諱

古人著書、刻書，也難免受到政治干擾。

比較早的，例如漢代司馬遷寫《史記》，據漢代衛宏的說法，由於《史記》裡談了不少漢景帝的短處，對漢武帝的急法嚴誅和窮奢極慾，也頗有批評，因此在當時無法流傳。一直到宣帝時，才由司馬遷的外孫楊惲奏進。現在我們讀的《史記》，其中的〈景帝本紀〉和〈武帝本紀〉，已經不是《史記》的原貌。所以政治忌諱的原因，會使書本失去原來的眞面目，這是讀古書者不能不注意的。

這種因政治干擾，而使圖書失去原來面貌的情形，歷代都有。譬如宋代有一部《神宗實錄朱墨本》（二百卷）。所謂「實錄」，是一種編年體的史書，它的內容是逐日記載皇帝的一言一行，皇帝每天所見的人物、所閱讀的書、所頒的詔論及一切行事，都詳實的記錄下來。《神宗實錄》，就是記錄宋神宗從即位起到去世的所有事情。為什麼會叫「朱墨本」呢？這就和政治忌諱有關。原來在宋神宗時，政治上有所謂「新」「舊」黨爭。舊黨指以司馬光為首的一批老臣，新黨是指一批以王安石為首以推動政治改革的政治新貴。《神宗實錄》最早是由新黨的鄧溫伯、陸佃、林希、曾肇等人撰修，後來改由舊黨的呂公著、黃庭堅、范祖禹等人撰修。新黨修撰時，其內容則多寫有利新黨、苛責舊黨的史料；等到由舊黨撰修時，就用紅筆把不利於舊黨的史料刪掉，而增入不利於新黨的史料。宋哲宗以後，新舊兩黨輪流當政多次，所以《神宗實錄》就改來改去，有各種版本出現。所以，由於政治的干擾，會使一部書出現多種傳本，這是研讀古書、認識版刻者，不能不注意的。

談到這種政治干擾，以清代最為嚴重。清代為了禁止反清復明的著作流傳，厲行禁書政策。禁書的方法有全燬、抽燬和刪改文字等各種手段。而這種現象，導致很多古書失去流傳，或造成古籍不完整及文字的改易。

乾隆編輯《四庫全書》時，表面上是「右文」（崇尚文化），事實上是藉機查禁「違礙」的書。所謂「違礙」，就是違反政策、妨礙國家安全的圖書。

編輯《四庫全書》，第一步工作是「徵書」。乾隆三十七年（西元一七七二年），下令各省督撫，一方面從書店裡大量買書，一方面則向私人藏書家借取。凡是「闡明性學治法，關係世道人心」的，或是「發揮傳注，與覈典章，旁暨九流百家之言，有裨實用」的，以及歷代名人的詩文專集，都盡量採錄。至於那些專爲考進士所編的參考書及「民間無用之族譜、尺牘、屏幛、壽言」等，以及沒有實學者的酬唱詩文，則一概不收。如果是向私人藏書家借取的，則繕錄完後，將原書發還，對提供圖書較多的藏書家，則另予獎賞。而在「徵書」的同時，一方面也從事「禁書」的工作。各省督撫把蒐購得到的書送到「四庫全書館」後，有專人從事過濾的工作。凡是詞意不妥的，如指斥外族爲「賊」、「虜」、「胡人」、「犬羊」、「夷狄」等詞句的，則加以改易；如有輕視外族的記載，甚至整段刪掉。如果是誣謗清朝或眷念明朝的，則予以禁燬。

下面舉一些例子。

南宋高宗紹興年間的莊綽，字季裕，是個博學之士，對宋代契丹、金人的風俗及軼聞，尤爲熟悉，於是他把所知的軼聞舊事，寫成《雞肋編》（三卷）。爲什麼取名「雞肋」呢？他在自序裡說，因爲這些軼聞舊事，「食之則無所得，棄之則殊可惜。」當然，這是他自謙的話，現在看起來，他這部書記載了很多宋代的軼聞，是正史裡所沒有的。清代咸豐年間的胡珽，有一次從朋友處借得一部影元抄本《雞肋編》，於是和《四庫全書》本對校，兩本有許多不同，其中，只要是對外族有不雅的稱呼，《四庫全書》本就加以改易，例如「胡人」改爲「蕃人」或「金人」，「金虜」改爲「北敵」或「金國」，「胡寇」改爲「北兵」，「入寇」改爲「入塞」，「金狄」改爲「金人」，「夷人」改爲「蕃人」，「酋豪」改爲「夏將」，「自虜中逃歸」改爲「自金逃歸」，「遭胡虜之禍」改爲「遭難以來」，「胡騎」改爲「金人」等，不勝枚舉。如果是對邊疆民族不好的記載，則整段刪芟。

影元抄本《雞肋編》（卷中）有這麼一段記載：

「兩浙婦人，皆事服飾口腹而恥為營生，故小民之家，不能供其費者，皆縱其私通，謂之貼夫，公然出入，不以為怪，如近寺居人，其所貼者皆僧行者，多至有四五焉。浙人以鴨兒為大諱，北人但知鴨羹雖甚熱亦無氣，後至南方，乃知鴨若只一雄，則雖合而無卵，須二三始有子，其以為諱者蓋為是耳，不在於無氣也。」

這段記載，主要在敘說南北宋之際，由於戰亂，兩浙一帶窮人婦女有一些不軌的行爲，這裡行爲以鴨兒交配爲喩，所以當地人忌諱「鴨兒」這名詞。金人以爲兩浙人士忌諱「鴨兒」，是因爲鴨羹雖是滾熱但不冒氣，很容易燙傷人。這段文字，本來並無對金人不敬，但是清代人認爲這是在輕視北方少數民族的無知，所以《四庫全書》裡的《雞肋編》，就把這一段刪除了。

影元抄本《雞肋編》（卷中）又有這樣的記載：

「自古兵亂，郡邑被焚毀者有之，雖盜賊殘暴，必賴室廬以處，故須有存者。靖康之後，金虜侵陵中國，露居異俗，凡所經過，盡皆焚爇，如曲阜先聖舊宅，自魯共王之後，但有增葺，莽卓巢溫之徒，猶假崇儒，未嘗敢犯，至金寇遂為煙塵，指其像而詬曰：『爾是言夷狄之有君者。』中原之禍，自書契以來，未之有也。」

這一段是說，孔子的宅第，歷代都受到國人的保護，即使像王莽、董卓、黃巢、朱溫等匪寇之流，也不敢破壞。金人南下後，孔子宅第遂遭到破壞，金人還指著孔子的像說：「你就是說過『夷狄之有君』這句話的人。」在《論語・八佾》篇裡，孔子曾說：「夷狄之有君，不如諸夏之亡也」。「諸夏」，指中國；「亡」，是「無」的意思。孔子的意思，指夷狄沒有禮制，因此，即使夷狄有國君，也不能實施禮制；而在中國，禮的觀念根深蒂固，即使沒有國君，人民還是受禮制的約束，不會紛亂。這是春秋社會的情形，對夷狄是一種輕視的話，所以金人很不喜歡這句話。《雞肋編》這段話，「四庫全書館」的館臣就把它給刪了，而改成下面這樣的記載：

「……孔子宅在今僊源故魯城中歸德門內闕里之中，背洙面泗，即所云矍相圃之東北也。杏壇在魯城內靈光殿，為漢景帝程姬之子恭王餘所立，王延壽賦序，因魯僖基兆而營也。遭漢中微，盜賊奔突，自南京未央建章之殿皆見墮壞，而靈光巋然獨存，今其遺址不復可見，而先聖舊宅，近日亦遭兵燹之厄，可歎也夫。」

由於政治的忌諱，使同一古書因傳本不同，內容也不同，這是一個例子。

北宋的晁說之，他的文集叫《嵩山集》（一名《景迂生集》）。這部文集傳本不多。民國二十三年（西元一九三四年），張元濟先生輯刊《四部叢刊續編》時，所收錄的《嵩山集》，是一部舊抄本，書中抄寫的方式很特殊，凡是遇到宋代皇帝的廟號，都要空一格，可能是根據宋刊本抄寫的。張元濟先生取了這部舊抄本和《四庫全書》裡的晁集對照，發現凡是對邊疆少數民族不敬的詞句都刪改了。現在把張元濟先生寫的「校勘記」附在下面：

葉次	行次	依宋抄本	四庫本
一	前八	金賊	賊作人　下不複見
		以我疆場之臣無狀斥	擾我疆場之地邊城斥
		堠不明	堠不明
	前九	豕突河北	豕突作長驅
		蛇結河東	蛇結作盤結
	後四	犯孔子春秋之大禁	易爲爲上下臣民之大
			恥
二	後二	不及掩耳至而鑾輿之	易爲今日之事四字
		出二十五字	
	後七	如陛下卽位之初何	下增朝廷草創庶務未
			備雖有老成如迅雷不
			及掩耳奈何二十一字
三	前三	以百騎刦虜梟將	虜作遼　下不複見
	後一	北虜	虜作敵　下不複見
四	前二	六胡	胡作朝
	後七	雖非人類而犬豕亦有	易爲雖甚强盛而赫然
		掉瓦怖恐之號	示之以威令之森嚴

五	後二	猖狂不制	猖狂作自强
		貪人金幣	貪作利
	後四	犯此五者	犯作坐
		取而殲焉	易爲因而取之
	後六	不知何人	易爲素安邊服
	後七	其謀臣郭藥師至金賊	
		不避三百四十四字	全脫
六	後八	利求割地	利作今
七	前八	執事不可重論之曰	易爲其失之三也而嘗
			聞
	前九	嘗盜我白沙塞	盜作取
	後四	亦卑恭甚矣	卑恭作和好
		敢眦睨中國之地	易爲竟釀患滋禍一至
	後五	金賊其何厭敢肆求	易爲我之所以奉金人
			者
	後八	茍有人心者	人作恆
	後九	刼掠黃金	易爲殺戮焚掠
八	前一	明言求金于王城	易爲悉索敝賦以奉之

	前二	求金	易爲責幣
	前三	金賊傲侮	易爲金人旋施
	前六	有金以滿谿壑之欲	易爲塞誅求之意
	前七	在我國家之初至弃之	
		溪壑一百五十一字	全脫
	後七	春秋重信至所以尊者	
		乎一百八十一字	全脫
九	後一	忍棄上皇之子于胡虜	胡虜作異地
		乎	
	後二	彼雖犬羊亦未必	易爲陛下雖爲天下亦
			難
十	前二	能振威于中國也	中國作天下
		中國不得其所以爲尊	中國作今乃
		者	
	前五	何則至是無天道也七	
		十六字	全脫
	後一	遂將使此小醜	易爲遺之以謀臣
	後三	歸于此小醜	易爲官於金人
	後九	此賊之謀	此賊作敵國

十一	前五	犬羊猪彘之羣	易為荒烟蔓草間
	前八	快彼賊心	賊作之積二字
	後六	以為彼小醜之用	小醜作挾制
	後九	褫中國之衣冠復夷狄之態度	易為遂其報復之心肆其凌侮之意
十二	後五	此賊蟻聚	此賊作方彼
	後七	盡力留賊	賊作此
十三	前一	此賊不忿	此賊作則彼
	前七	孫女姊妹縛馬上而去執侍帳中	易為皆擄老穉幼棄其籍而去焚掠之餘
	前八	方賊入一邑時	賊作彼
	後四	西賊	賊作人
十四	前四	虜庭	虜作北
十五	後一	是謂昊賊之後	昊賊作元昊
	後八	視州民如胡越	胡作秦
十八	後九	華戎之上	華戎作郡帥

十九 前一 何恤乎小醜 小醜作敵患
前九 而以夷狄攻夷狄 夷狄均作敵人
後二 邏賊 賊作衆
後四 自是夷狄怨中國 夷狄作外服
後七 鳴金賊之罪 易爲藉其衆之力
後八 金賊何地以苟活 易爲金人何地之可據
二十 前一 金賊雖苟活 易爲欲不我助而
前七 蚤虱金賊而湯櫛之 易爲捍禦金人而牽制
之
前九 因匈奴衰亂 匈奴作凶勾

有些冒犯政治忌諱較嚴重的，則會遭到抽燬、全燬等命運。所謂抽燬，就是有問題部分的書版抽出燬掉；全燬，就是整本的書版燬掉，「一柱樓詩案」，就是著名的例子。

《一柱樓詩》，是泰州人徐述夔的作品。乾隆年間編輯《四庫全書》時，發現詩集裡有許多譏諷清朝，懷念明朝的句子。例如有一首是詠曝書時的感懷，他正在曝書時，一陣風吹來，他就寫下「清風不識字，何必亂翻書」的句子，這兩句顯然是在諷刺清朝厲行的文字獄。有一次，他喝了酒，把酒杯倒置，看見杯底鑄有「正德」二字。「正德」，是明代武宗的年號，於是又有感而發的寫了一首詩，詩中有兩句是：「大明天子重相見，且把壺兒擱半邊。」「壺兒」，就是「胡兒」的諧音。有一天，徐氏在半夜裡聽到老鼠咬衣服，很是生氣，於是又寫了一首詩，有二句是：「毀我衣冠皆鼠輩，搗爾巢穴是明朝。」把「明朝（ㄓㄠ）寓爲「明朝」（ㄔㄠ）」。而最令清人忌恨的詩句是「明朝期振翮，一舉去清都。」當時〈大學士九卿令奏摺〉就認爲徐述夔「不用『明當』而用『明朝』，不用『到清都』，而用『去清都』，借『朝夕』之『朝』，誤作『朝代』之『

朝』，其悖逆尤顯。」

當時徐述夔已死，兒子也已去世，於是孫子徐食田和爲《一柱樓詩》校對及寫〈序〉的人，都受到牽連。爲《一柱樓詩》校對的是徐述夔的兩個學生，一個叫「徐受髮」，一個叫「沈成濯」。這兩個名字，也都是徐氏所取的。清代厲行剃髮，而徐述夔認爲漢人應該「身體髮膚，受之父母，不可毀傷。」所以爲徐姓學生取名「受髮」，字「受之」。徐述夔又常說：「明朝有頭髮，如今剃了頭，就是濯濯的意思」。所以爲沈姓學生取名「沈成濯」。清廷認爲這兩個學生，一方面爲《一柱樓詩》校對，一方面又「聽其命，取逆名」，最後也被斬死。

我數了一下臺北國立故宮博物院所藏有關「一柱樓詩」的檔案，從乾隆四十三年（西元一七七八年）八月二十七日案發，到同年十二月十二日把所有牽涉者斬首，把相關書籍「極力查銷，務使根株淨盡」（廣東巡撫桂林奏語），全部相關文件，包括「上諭」、「奏摺」、「奏片」、「供詞」及「查禁清單」等，多達七十餘件。清代帝王之恐懼反清復明，也未免小題大作了。

大學士公阿　大學士于　字寄
各省督撫　乾隆四十三年十月十五日奉
上諭逆犯徐述夔身係舉人且自其高曾以來均在本朝食
毛踐土厚澤涵濡乃敢於所作一柱樓詩各種妄肆詆譏
狂誕悖逆實為覆載所不容伊子徐懷祖並敢將伊父逆
詞公然刊刻均屬罪大惡極雖皆已伏冥誅現將伊孫徐
食田等鎖拏解京嚴加審訊定案時必當照例剖棺戮
屍以伸國法至其詩集各種刊刻已久流傳各省者自復
不少著將所有應毀各書開單傳諭各督撫留心實力
訪查如有逆犯一柱樓詩等項刷印之本及或有翻刻板
片均著即行搜出解京銷燬務使犬吠狼嘷根株盡絕
以正人心而維風俗各督撫並宜實心嚴查勿以具文塞
責致干咎戾將此由四百里傳諭知之欽此遵
旨寄信前來

〈說明文字〉　這是查辦「一柱樓詩案」的奏摺之一，原是清宮「軍機處」的機密檔案，現藏國立故宮博物院。

下篇——認識藏書家

緒說

《莊子・天下篇》說：「惠施多方，其書五車。」可見戰國時代，已有私人藏書。不過，在早期一方面由於抄寫的工具不發達，圖書不易獲得，一方面由於帝王專制，民智未開，圖書大多集中在官府，民間藏書，也僅限於少數高官與貴族，平民的藏書十分有限。

私人得有大量的藏書，足以稱之「藏書家」的，要到唐代才有。我們看《唐書・藝文志》，著錄了吳兢的《西齋書目》一卷。吳兢是唐代開元年間人。根據宋代晁公武《郡齋讀書志》的說法，吳兢的家藏圖書有一萬三千四百六十八卷。《唐書・藝文志》又著錄了蔣彧的《新集書目》（一卷）、杜信的《東齋籍》（二十卷）及不著撰人的《河南東齋史目》（三卷）等，是否為私家藏書目錄，不能確定。所以唐代雖已有蒐藏較富的藏書家，但並不多，這是由於唐代時雕版還不盛行，圖書仍靠抄寫流傳，所以圖書的獲致不易，圖書也易於亡佚。到了五代、宋朝以後，版刻逐漸盛行，圖書流傳漸廣，藏書家漸多。我們檢視《宋史・藝文志》所著錄的私人藏書目錄，就多達數十家，甚中像尤袤的《遂初堂書目》及晁公武的《郡齋讀書志》，還流傳到現在。當然，宋代藏書家不止這數十家，初步估計，應有數百家。宋代以後，隨著私人刻書業的發達和交通的方便，圖書更容易流通，私人藏書風氣日益興盛，根據光緒年間葉昌熾所寫《藏書紀事詩》，收錄五代到清代的藏書家約六百人。近人李玉安、陳傳藝所編的《中國藏書家辭典》，則收錄一千一百四十九人，雖然其中有些是目錄學家或圖書館工作者，不盡爲藏書家，不過，歷代藏書家之多，於此可見一斑。

藏書家對社會文化有正面的意義，其主要貢獻有二：一是私人藏書可補官府藏書的不足。官府藏書由於有其特定的藏書標準，所以有些圖書不得入藏，而私人藏書則隨藏書家的喜好，所藏是多樣化。宋代文獻學家鄭樵在《通志・校讎略》裡，談及曾見釋慧邃專門蒐藏宋代名臣及高僧的信函，而這些信函，是官府所沒有的；他又說在福建漳州的吳與，其家藏有一些算術類的古書及《師春》、

《甘氏星經》、《漢官典儀》、《京房易鈔》等書，都是官府所沒有的罕見圖書。又如清代乾隆年間編《四庫全書》時，也鼓勵藏書家獻書，像浙江的藏書家鮑士恭、范懋柱、汪啓淑、吳玉墀、孫仰曾、汪汝瑮，江蘇的藏書家馬裕、周厚堉、蔣增瑩，北京的藏書家黃登賢、汪如藻等，都各提供了百種以上的圖書，所以藏書家對圖書的保存，有很大的貢獻。其次是，在少有公共圖書館的古代，私人藏書樓或多或少提供了當地人讀書的機會。在古代，除了少數的書院或佛寺，將其藏書提供衆人閱讀，可算是一種公共的圖書館外，一般的公共圖書館並不常見。部分胸襟開闊的藏書家，會把藏書借人傳抄，或定時開放，發揮了類似公共圖書館的功能。此外，藏書家勤於勘正古籍的錯誤；或勤於蒐訪已失傳的古籍；或把家藏祕笈刊刻流傳，使孤本祕笈得以化成萬千數種，造福學林；這些都是藏書家對社會文化的貢獻。當然，有部分藏書家把祕笈當成骨董，不知利用；也有藏書家把所藏視同禁臠，不讓外人借閱傳抄，這種心態，固然不可取，更不值得效法。

今日公共圖書館雖已處處都有，但私人藏書仍然有其必要，因爲私人藏書，除了閱讀方便外，還可以表現藏書之特色，如能養成年老後把藏書捐給公共圖書館，展現與古代藏書家不同的現代藏書家風範，那是筆者最大的期望。

今存最古藏書樓「天一閣」及其創始人范欽

歷代有不少著名的藏書樓，不過，大多數經不起歲月的考驗及兵燹的摧毀，已成廢墟。建立於明代嘉靖年間的浙江鄞縣「天一閣」，歷經四百餘年，迄今仍存，是目前中國最古老的藏書樓。

「天一閣」，是明代藏書家范欽所建造。范欽（西元一五〇六年—一五八五年），字堯卿，一字安卿，又字吾勤，號東明，明代浙江寧波府鄞縣人。嘉靖十一年（西元一五三二年）考取進士，任湖廣隨州知州，遷工部員外郎，因與武定侯郭勛不和，郭勛在皇帝面前說范欽的壞話，范欽調任江西知袁州府，後升廣西參政，分守桂平，轉福建按察使，遷陝西左使、河南副都御史，官至兵部侍郎，辭不赴。嘉靖三十九年（西元一五六〇年）回鄉隱居。

范欽從年輕時就喜歡藏書。他早期的藏書室有二：一叫「東明草堂」，一叫「寶書樓」。范欽歸鄉隱居後，住在鄞縣西南「月湖」深處。「月湖」裡有不少小島，亭閣臺榭，上下相映，景色迷人。范欽就在距「月湖」約一里的地方，建築了「天一閣」。

爲什麼取名爲「天一」呢？有三種說法：一是范氏爲了怕火災，所以找了有水池的地方築樓，在鑿地的時候，泥土中隱約出現「天一」二字，因此以之爲名。另一說是閣初建的時候，范欽得到吳道士龍虎山天一池石刻，是元代揭文安公所書，范氏認爲「天一池」是池名，正與閣前築池的用意有關，於是就以「天一」爲名。又有一說是天一閣樓上放書的地方，通六間爲一，而以書廚間隔，取「天一生水，地六成之」之義。

「天一閣」的建築，雖然至今猶存，但是迭經戰亂，面目早已非舊。清代乾隆年間修《四庫全書》時，清高宗因爲聽說「天一閣」有防火、防溼、防蟲等設施，因此派了杭州織造寅著到「天一閣」察看其房屋、書架的造作及典藏圖書的方法。乾隆的詔諭這樣說：

> 浙江寧波府范懋柱家（按：范欽後裔）所進之書最多，因加恩賞《古今圖書集成》一部，以示嘉獎。聞其家藏書處曰「天一閣」，純用甎甃，不畏火燭。自前明相傳至今，並無損壞，其法甚精。著傳諭寅著親往該處，看其房間製造之法若何。是否專用甎石，不用木植，並其書架款式若何。詳細詢查，燙成準樣，開明丈尺，呈覽。寅著未至其家之前，可預邀范懋柱與之相見，告以奉旨：因聞其家藏書房屋、書架造作甚佳，留傳經久，今辦《四庫全書》，卷帙浩繁，欲倣其藏書之法，以垂久遠，故令我親自看明，具樣呈覽，爾可同我前往指說。如此明白宣諭，使其曉然，勿稍驚疑，方為妥協。將此傳諭知之，仍著即行覆奏。

寅著到了「天一閣」察看後，寫了一個奏摺，說明「天一閣」的構造。奏摺說：

> 「天一閣」在范氏宅東，坐北向南，左右磚甃為垣，前後簷上下均設

> 窗門。其梁柱俱用松杉等木，共六間。西偏一間，安置樓梯；東邊一間，以近牆壁，恐受溼氣，並不貯書。惟居中三間，排列大櫥十口，內六櫥，前後有門，兩面貯書，取其透風。後列中櫥二口，小櫥二口。又西一間，排列中櫥十二口，櫥下各置英石一塊，以收潮溼。閣前鑿池，其東北隅又為曲池。傳聞鑿池之始，土中隱有字形如「天一」二字，因悟「天一生水」之義，即以名閣。閣用六間，取「地六成之」之義，是以高下深廣及書櫥數目尺寸，俱合六數，特繪圖具奏。

這段文字，見於《東華續錄》，但繪圖則未見，不過，從文字上大致可以瞭解其結構。

「天一閣」的藏書，來源有三：一部分得自明代另一藏書家豐坊的「萬卷樓」，一部分得自范欽的侄子范大澈（一作徹）的舊藏，一部分則是范欽及其子孫不斷購置及抄寫而來。

談到豐坊，一般人都知道他喜歡僞造古書，很少人知道他也是個藏書家。豐坊，字存理，一字人叔，後更名爲道生，字人翁，別號南禺外史，嘉靖二年（西元一五二三年）進士，官禮部主事，不久謫爲通州同知。嘉靖十七年（西元一五三八年）多次上書，待命甚久，未被起用，遂歸里。豐氏資質警敏，尤通經史，讀書時注目而視，瞳子常常突出眼眶半寸，身旁有人經過都不覺，可見其讀書時的專心。豐氏善於書法，於古代碑帖，一一臨摹，不論是大小篆或古今隸書、艸書，都能臨摹逼眞。他就利用博學和書法方面的專長，僞造了不少石刻和古書，比較著名的僞書，如《石經大學》、《子貢詩傳》、《申培詩說》、《魯詩世學》等，都是他僞造的，直到現在，還有人相信這些僞書，可見他僞造的古書高明的地方。豐氏喜歡藏書，他把祖產良田千餘畝變賣，購置大量的古書、碑帖、石刻、法書，建「萬卷樓」藏之，終日陶醉其中，人們稱他爲「書淫」、「墨癖」。晚年得心疾，藏書中較珍貴的宋刊本及寫本，大半給學生偷走，其餘的賣給「天一閣」。

至於范大澈（一作徹）之所以藏書，也有一段逸聞。大徹（西元一五二三年—一六一〇年），字子宣，一字子靜，是范欽的侄子。嘉靖二十八年（西元一五四九年）隨叔父范欽遊京師，題詩於塔壁，被大學士袁煒發現，延聘爲塾師，居京師三年，官補國子生、鴻臚寺序班，並曾出使日本、朝鮮等國。有一次，大澈回鄉，到叔父所築的「天一閣」看書，范欽表現出一副不高興的樣子，於是大澈發憤購書、藏書，月俸所得，全部用來蒐購祕笈，除了古書，印章、名畫也買，一心想要超過「天一閣」。每當購得「天一閣」所沒有的祕笈，則備酒席迎范欽到他家欣賞，范欽每次看後，都默然離開。大澈死後，所藏圖書歸併到「天一閣」。到了清代嘉慶年間，「天一閣」的藏書，多達五千餘種。

「天一閣」的藏書，能留傳數百年的原因，一方面固然有愛惜圖書的好子孫，一方面也歸功於其特殊的管理及貯藏方式。

書最怕火災、潮溼、蟲蛀及被竊，而「天一閣」對這些，都有預防措施。「天一閣」如何防火呢？「天一閣」的書都放在樓上，樓梯是活動式的，有人登樓讀書時，才架上去，平日則不架梯子。只許白晝登樓，以免夜間點燈，不慎失火，也不許用煙草餉客，以免吸煙失火。

「天一閣」建在「月湖」附近，牆圍周圍，林木陰翳，十分潮溼，范氏怎麼樣防潮呢？他除了書樓的基礎部分用磚石外，每座書架下放一塊浮石，使書架遠離地板，可免受潮。

至於防蟲的方法，傳說有三種方法。一種方法是黏貼圖書的漿糊，是用一種以生豆研成細粉製成的生糊，這種生糊，既不霉，又可防蠹食，又很堅牢。另一種方法，是在每册書裡夾放一株芸草以驅蠹蟲。

「芸艸」是一種怎樣的植物呢？《說文解字》說：「芸，草也，似目宿，从艸，云聲。淮南王說：『芸草可以死復生。』」所謂「可以死復生」，依清代段玉裁的注解，是可以使死者復生，這樣看起來，芸艸是一種很特殊的植物。《禮記・月令》篇說：「仲冬之月……芸始生，荔挺出，蚯蚓結，麋角解，水泉動。」鄭玄注解說：「芸，香艸也。」從這裡可以知道它有香味，每年農曆的十一月發芽生長。宋代的科學家沈括，在他的著作《夢溪筆談》（卷三）裡，對芸草有比較詳細的記載，他說：「古人藏書，辟蠹用芸。芸，香艸也，今人謂之『七里香』。葉類豌豆，作小叢生。其葉極芬香，秋間葉間微白如粉污，辟蠹殊驗，余判昭文館時，曾得數株於潞公家，移植祕閣後，今不復有存者。」可見用芸草來驅書蟲的方法，由來已久，並不是「天一閣」發明的。「七里香」在臺灣很常見，筆者院子裡也種了兩排，四季常綠，花是白色，秋天並不見「葉間微白如粉污」，可能是臺灣地處亞熱帶，氣候不同所致。

談到「天一閣」用芸草辟蠹，還流傳著一段淒涼的傳說。這個傳說，見於清代謝堃的《春草堂集》（卷三十二），他說：

> 鄞縣錢氏女，名繡芸，范茂才邦柱室，邱鐵卿太守內姪女也。性嗜書，凡聞世有奇異之書，多方購之。嘗聞太守言：「范氏天一閣，藏書甚富，內多世所罕見者，兼藏芸草一本，色淡綠而不甚枯。三百年來，書不生蠹，草之功也。」女聞而慕之，繡芸草數百本，猶不能輟，繡芸之名，由此始。父母愛女甚，揣其情，不忍拂其意，遂歸范。廟見後，乞茂才一見芸草，茂才以婦女禁例對。女則恍如所失，由是病，病且劇，泣謂茂才曰：「我之所以來汝家者，為芸草也。芸草既不可見，生亦何為？君如憐妾，死葬閣之左近，妾瞑目矣。」

這個邱繡芸為了一睹芸草的面貌而下嫁范邦柱，卻由於范家規定婦女不得登樓觀書，終於抑鬱而死，令人無限感傷。不過這個傳說，不一定可信。

「天一閣」藏書防蠹的另一個方法是定期曝書。古人曝書，通常要選在「伏日」曝書。一年中有三次「伏日」：農曆夏至後第三庚日起爲「初伏」，第四庚日起是「中伏」，立秋後的第一庚日是「末伏」，這些日子，是一年中太陽最烈的日子，最適合晒書。范氏子孫，則在每年黃梅節後，聚集范氏家族，一起晒書。平常時節，不是人人都可以登樓看書，所以范氏子孫都利用晒書的日子，把握機會，登樓閱書。

「天一閣」的藏書，能留傳數百年，鮮有爲不肖子孫盜竊，是由於它採取嚴密的封閉政策。阮元的〈天一閣書目記〉，談到「天一閣」的管理方法：

……封閉甚嚴。凡各廚鎖鑰，分房掌之。禁以書下閣梯，非各房子孫齊至，不開鑰。子孫無故開門入閣者，罰不與祭三次。私領親友人閣，及擅開廚者，罰不與祭一年。擅將書借出者，罰不與祭三年。因而典鬻者，永擯逐不與祭。

如此嚴密的管理方式，是使「天一閣」藏書能流傳數百年而不散佚的最主要原因。

太平天國之亂，「天一閣」的藏書散出不少。民國初年，圖書也數度遭竊，樓閣也已殘破，民國二十三年，鄞縣成立「重修天一閣委員會」，增建不少平房，面積也擴充了。

范欽的藏書章有：「范」、「范欽私印」、「古司馬氏」、「東明山人」、「東明山人之印」、「司馬印也」、「司勛大夫」、「天一閣」、「天一閣主人」、「四明范氏圖書記」、「甬東范氏家藏圖書」、「東明草堂」、「一吾盧」、「七十二峯」、「和鳴國家之盛」、「萬古同心之學」等。

〈說明文字〉「天一閣」外景。

以「藏書約」示子孫的祁承㸁

歷來藏書家，都希望所藏能傳諸子子孫孫，永遠不會散出。不過，能明白訂定藏書規約，訓示子孫如何購書、讀書、藏書的，則是始於明代的祁承㸁。

祁承㸁（西元一五六三—西元一六二八年；一說生於西元一五六五年），字爾光，號夷度，晚號密士老人，明代浙江山陰（今紹興）人。考取萬曆三十二年（西元一六〇四年）的進士，曾在山東、江蘇、安徽、河南等當地方官，官做到江西布政使司右參政。他曾在梅里築了一座「曠園」，所以又號「曠翁」。在「曠園」裡，有幾座較重要的建築物：藏書的地方叫「澹生堂」，讀書的地方叫「東書堂」，遊息的地叫「曠亭」。

祁氏的藏書，一部分是省吃儉用，把薪俸省下來買的，一方面則有相當大的部分是從其他藏書家傳抄而來的。在他的文集《澹生堂集》裡，有萬曆四十六年

（西元一六一八年）的日記，其中不少記載著購書的事，例如元月七日條說：「密雲不雨，早至姚江市書七種，內有于文定公（明于愼行）《讀史漫錄》，大有識力。《喬莊簡集》亦簡令有體，舟中讀之甚暢。」元月二十四日條說：「午後步書肆間索書，得十五種。」二月初五日條說：「是日得書七種，內有《仕學類抄》六卷。」三月初六日條說：「還園，得坊間有《讀書一得》四册。」七月十九日條說：「入城過書肆，補得《百家唐詩》殘缺者十三種。」八月十二日條說：「過書肆覓書，得十六種，內如宋人《方秋崖集》，極佳。」八月十六日條說：「又過書肆覓書，得二十餘種，內有王明清《揮麈後錄》三集共十卷。王氏《揮麈錄》向所見止一卷，今其書乃數倍於前。」八月二十五日條說：「於肆中得《沈下賢集》及《長興》《西溪》《雲朝》三集，皆素所渴嗜，甚快。」從這些日記，可見祁氏購書之勤快。至於抄書，則他每到一處，即設法從著名藏書家，借書來抄。尤其他在河南任官時，著名的藏書家朱睦㮮的「萬卷堂」就在開封，祁氏常到「萬卷堂」抄書。祁氏抄書時，態度嚴謹，所用的紙墨都是上等的，所以「澹生堂」所藏的抄本，有不少是校讐精審的秘笈。全祖望〈曠亭記〉

說：「其所抄書，多人所未見，校勘精核，紙墨潔淨。」

經過多年的搜購、抄錄，他把家藏編成《澹生堂藏書目》。根據書目的記載，他的藏書多達六千七百餘部，八萬五千餘卷。黃宗羲曾稱讚這些書爲「眞希世之寶」。祁氏的藏書，不以宋元刊本爲貴，而重視實用，所以他的藏書中，以史書最多，尤其是當代的史料，因爲他認爲「學不通今，安用博古」，所以「凡涉國朝典故者，不特小史宜收，即有街談巷議，亦當盡采。」此外，他的藏書中有不少小說、戲曲，如《古今雜劇》、《名家雜劇》等。這種重視歷史、小說、戲曲的藏書風格，和一般的藏書家，不很一樣。

祁承㸁認爲傳給子孫最寶貴的遺產，不是錢財，而是圖書。爲了讓子孫能繼續增益圖書，特地寫下了著名的《澹生堂藏書約》，告示子孫藏書之道。

〈藏書約〉裡有一段這樣說：「今與爾輩約：及吾之身，則月益之；及爾輩之身，則歲益之。子孫能讀者，則以一人盡居之；不能讀者，則以衆人遞守之。入架者不復出，蠹嚙者必速補。子孫取讀者就堂檢閱，閱竟即入架，不得入私堂。親友借觀者，有副本則以應，無副本則以辭。正本不得出密園外。書目視所益多寡，大較近以五年，遠以十年一編次。勿分析，勿覆瓿，勿歸商賈手，如此而已。」大致可以看得出他對子孫的期望。〈藏書約〉共分四個部分：一是〈讀書訓〉，蒐集歷代學者讀書的方法、態度，以告誡子孫。二是〈聚書訓〉，告誡子孫聚書之利，遠大於聚財之利的道理。三是〈購書訓〉，告訴子孫購書的原則是「眼界欲寬，精神欲注，而心思欲巧。」四是〈鑒書訓〉，告訴子孫對藏書要能辨眞僞，覈名實，權緩急而別品類。

祁承㸁有四子，依次是：彪佳、駿佳、豸佳、熊佳（一說有五子：麟佳、鳳佳、駿佳、彪佳、象佳）。諸子均能藏書，其中又以彪佳、聚書最多。彪佳（西元一六〇二年—一六四五年），字幼文，一字弘吉。考取天啓二年（西元一六二二年）進士，授興化軍推官。崇禎四年（一六三一年）遷福建道御史，崇禎八年（西元一六三五年）辭官歸里奉侍母親。崇禎十三年（西元一六四〇年）母親王太夫人病逝，在家守孝。崇禎十五年（西元一六四二年）除喪服，奉召掌河南道事。崇禎十七年（西元一六四四年），清軍破北京，彪佳與史可法等人迎福王入南京。清順治二年（西元一六四五年），清兵南下，南京、杭州相繼失守，清兵統帥以書幣招降彪佳，彪佳不爲所動，於是年六月，端坐密園內池中絕食而死，年僅四十四歲。彪佳生前爲對父親所留下的藏書表示尊敬，特地以朱紅小榻數十張，放置古籍。又因讀宋代藏書家鄭樵在《通志・校讎略》裡的〈求書之道有八論〉，於是把藏書樓命名爲「八求樓」。所謂〈求書之道有八論〉，是鄭樵談論求書的重要方法共有八種途徑，那就是：一是「即類以求」，二是「旁類以求」，三是「因地以求」，四是「因家以求」，五是「求之公」，六是「求之私」，七是「因人以求」，八是「因代以求」。這八種尋求圖書的方法，即使在今日，仍然是學者在從事研究時找尋資料最常用的方法。彪佳把藏書樓取名「八求樓」，可見其繼承父志，蒐求圖書的積極態度。有一個傳說：據說當年彪佳快出生時，他的曾祖母金太夫人夢見一僧趺坐金盆，掬水沐浴。後來彪佳在水池中絕食而死，有人說這是前生注定。

彪佳有二子：長班孫、次理孫，均能藏書，其中理孫收藏較著。理孫（西元一六二七年—一六六三年），字奕慶，別號杏庵，法名智曇。十六歲時參加舉人考試，名列第一，但無意仕途，以讀書侍母爲事。建「讀書樓」以藏書。根據他所編的《祁氏讀書樓書目》（四卷），共有圖書一千五百九十八種，四萬二千六百三十六卷，其中不少是詩文集、元明傳奇、戲曲及雜劇，很有特色。

祁承㸁的藏書章很多，常見的有「臣㸁敬識」、「曠翁手識」、「曠園」、「山陰祁氏藏書」、「山陰祁氏藏書之章」、「澹生堂經籍記」、「澹生堂藏書記」、「澹生堂」、「憲章昭代」、「昭代憲章」、「子孫永珍」、「子孫寶之」、「子孫世珍」、「子孫永寶」、「山陰祁氏」等。此外，他還刻了一枚高六・二公分，寬六・八公分的大印章，上面刻了他寫的藏書銘，銘文是：「澹生堂中儲經籍，主人手校無朝夕。讀之欣然忘飲食，典衣市書恒不給。後人但念阿翁癖，子孫益之守弗失。曠翁銘。」祁理孫的藏書印則有：「理孫」、「理孫之印」、「奕慶」、「智曇」、「法名智曇」、「奕慶藏書」、「藏書樓經籍記子孫世守」等。

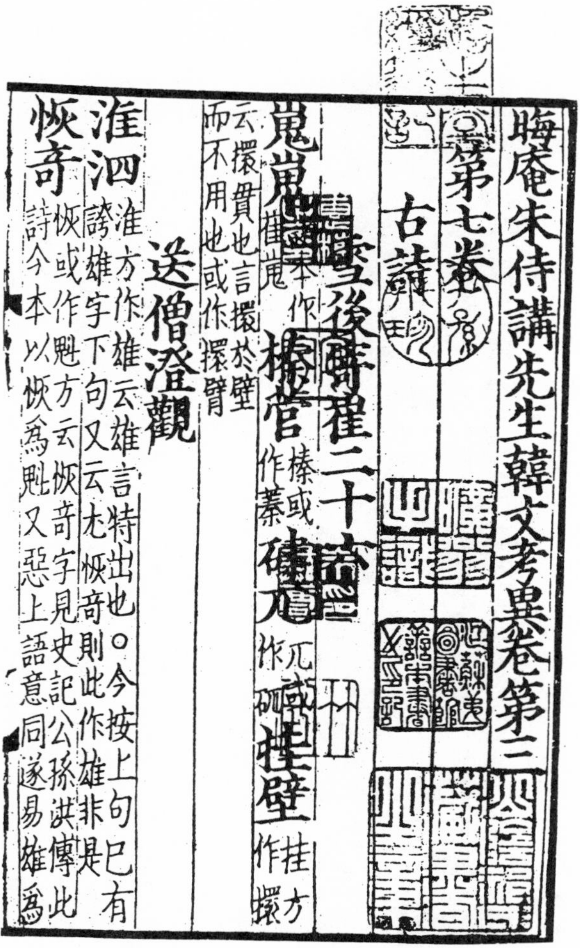
晦庵朱侍講先生韓文考異卷第二

第七卷

古詩

雪後寄崔二十六丞

嵬崔 崔嵬[illegible]作 云擐貫也言擐於壁而不用也或作擐臂

榛菅 榛或作蓁 [illegible] 挂壁 挂方作擐

送僧澄觀

淮泗 淮方作雄云雄言特出也。今按上句已有誇雄字下句又云尤恢奇則此作雄非是

恢奇 恢或作魁方云恢奇字見史記公孫洪傳此詩今本以恢為魁又惡上語意同遂易雄為

〈說明文字〉這是祁氏所藏宋刊本《晦庵朱侍講先生韓文考異》，鈐有多枚祁氏的藏書章。

坐擁書城與美妾的錢謙益

錢謙益（西元一五八二年—一六六四年），字受之，號牧齋，又號尙湖，晚號蒙叟，又稱東澗、東澗遺老、峨眉老衲、石渠舊史等，明末常熟人。

一般人一談到錢氏，多認爲他是一個沒有政治立場的人。原來他在明末做過禮部尙書的高官，但是清兵入關時，他卻策馬迎降。清順治四年（西元一六四七年），明代遺民黃毓祺在江陰舉兵恢復明室，錢氏暗中助之，也意圖復明。順治十六年（西元一六五九年），他的學生鄭成功攻打金陵，錢氏就作了「王師橫海陣如林，士馬奔馳甲仗森；戒備偶然疎壁下，偏師何意隤義陰。憑將按劍申軍令，更挿韡刀儆士心；野老更闌愁不寐，誤聽刁斗作秋砧」的詩，充分表達懷念故國的心意。從此，清人對他失去信心。在清代的國史裡，把他列入「貳臣傳」。所謂「貳臣傳」，指的是失節降清的明代臣子，有鄙視的意思。

不過，在書林裏，錢氏倒是著名的藏書家。明萬曆三十八年（西元一六一〇年），錢氏考取了一甲第三名的進士，俗稱「探花」，文名大盛，家財漸多，於是大量買書。他從明代藏書家劉鳳（字子威）、錢允治（字功父，一作功甫）、楊儀（字夢羽，號五川）、趙用賢（字汝師）等處，先後獲得了不少珍本，加上到處搜購及抄寫，在他中年的時候，藏書已相當可觀。

在他購書的過程中，以一部宋版《後漢書》的獲得，最爲曲折離奇。在《牧齋遺事》裡，記載購得此書的經過：「初，牧齋得此書，僅出價三百餘金。以《後漢書》缺二本，售之者因減價也，牧翁寶之如拱璧，徧囑書賈，欲補其缺。一書賈，停舟於烏鎮，買麵爲晚餐，見舖主人於敗簏中，取書二本作包裹，諦視，則宋版《後漢書》也。賈驚，竊心喜，出數文錢買之，而首葉已缺，賈向主人求之。主人曰：『頃爲對鄰裹麵去，索之可也。』乃幷首葉獲全。星夜來常（熟），錢喜欲狂，款以盛筵，予之二十金，其書遂爲完璧。其紙質黑色，炯然奪目，眞藏書家不世寶也。」這眞是天下巧事！從這裡也可以看出，不知多少珍貴的古書，就給販夫走卒覆缶裹麵毀掉了。

錢氏的藏書樓，最早是蓋在虞山西北的「拂水巖」。「拂水巖」在虞山的南嶺，據《常熟縣志》的記載，該地「上下臨壑谷，水泉下注如練，風拂掠之，則水倒飛噴濺如雨」，所以叫做「拂水巖」。由於「上下臨壑谷」，所以可鑿壁爲架；又有「水泉下注如練」，可以防火，所以錢氏就在此築了一座「拂水山房」，山莊中有「耦耕堂」、「聞詠室」、「朝陽榭」、「秋水閣」等各種樓閣臺榭。但是，錢氏最重要的藏書樓，則叫「絳雲樓」。

談起「絳雲樓」，則和他的一段姻緣有關。

崇禎十三年（西元一六四〇年）十月，也就是他五十九歲時，到浙江嘉興遊玩，友人朱治憪盛讚當地名妓柳如是，想介紹給錢氏認識，但不巧柳氏外出，未能見面。

柳如是，初名隱，後更名愛，小字影憐，爲吳江名妓徐佛弟子。後更姓柳，名是，字如是，一字靡蕪。長得嬌小玲瓏，性機警，饒膽略，文章、書畫、詩詞，都有相當的造詣。十九歲時嫁給某孝廉；但由於柳是倜儻好奇、放誕不拘，與孝廉離異。

到了年底，柳如是到常熟訪謙益。那天，柳氏「幅巾弓鞋，著男子服」，神情瀟洒，應對得體，錢氏一見大喜，稱讚她爲「風流佳麗」，可與當時名妓王修微、楊宛叔鼎足而三。柳氏在錢氏家住了一個多月，詩酒唱和，讌談甚歡。柳氏回到了嘉興，對人說：「天下惟虞山錢學士，始可言才，我非才如錢學士者不嫁。」錢謙益聽了也對友人說：「天下有憐才如此女子者乎？我亦非才如柳者不娶。」次年（崇禎十四年，西元一六四一年）六月，納柳氏爲妾，那年，錢氏六十歲，如是二十四歲。婚後，兩人共賞詩文，考異訂訛，猶如人間仙侶。錢氏認爲柳氏之來歸，就如道書《眞誥》（梁陶弘景撰）裡所說「絳雲仙姥下降，仙好樓居」，於是蓋了一棟「絳雲樓」，共五楹，極盡輝煌。樓上藏書，兩人則住樓下。

「絳雲樓」的藏書甚富，牙籤萬軸，單單宋代的刊本，就達萬卷，其他罕見祕笈，更是不勝其數。黃宗羲曾來訪，得盡閱絳雲樓書，歎說：「余所欲見者無不有。」不幸的是，順治七年（西元一六五〇年）十月初二夜，其幼女與奶媽在樓上剪燭灺，一不小心，火花掉在故紙堆中，於是起火，旋踵間，整棟絳雲樓化爲灰燼。絳雲一炬，是我國書史上一次無可彌補的災厄。錢氏自己歎說：「嗚呼！甲申之亂，古今書史圖籍一大劫也。庚寅之火，江左圖籍一小劫也。今吳中一二藏書家，零星捃拾，不足當吾家一毛片羽。」又說：「此火非焚書，乃焚吾焦腑耳。」

錢氏七十歲以後，健康日不復一日，常常服藥，清康熙三年（西元一六六四年）逝世，年八十三歲。錢氏去世不久，族人錢謙光、錢曾等都來分取金錢田產，柳如是爲保錢家，不久竟以投繯自縊相爭，經邑令調查，家產始免於爲族人瓜分。柳如是爲一名妓，竟能殉節，可以算是一名烈女了。

錢氏不僅藏書焚燒殆盡，更由於他晚年的詩文頗多心懷故國之作，在他死後一百多年，乾隆編《四庫全書》時，所有著作也遭到禁燬，一直到清末，才有部分開始流傳，這大概是貳心之士所得的天譴罷。

錢氏的藏書章有「牧翁」、「牧齋」、「虞山」、「蒙叟」、「東澗」、「錢謙益印」、「牧翁蒙叟」、「東澗遺老」、「牧齋藏書」、「錢受之」、「峨嵋老衲徹修」、「錢受之」、「虞山錢氏珍藏」、「史官」、「錢謙益受之章」、「絳雲樓」、「絳雲樓錢氏」、「箋後人謙益讀書記」、「鴻朗箋齡白頭蒙叟」、「如來眞天子門生」、「惜玉憐香」等。

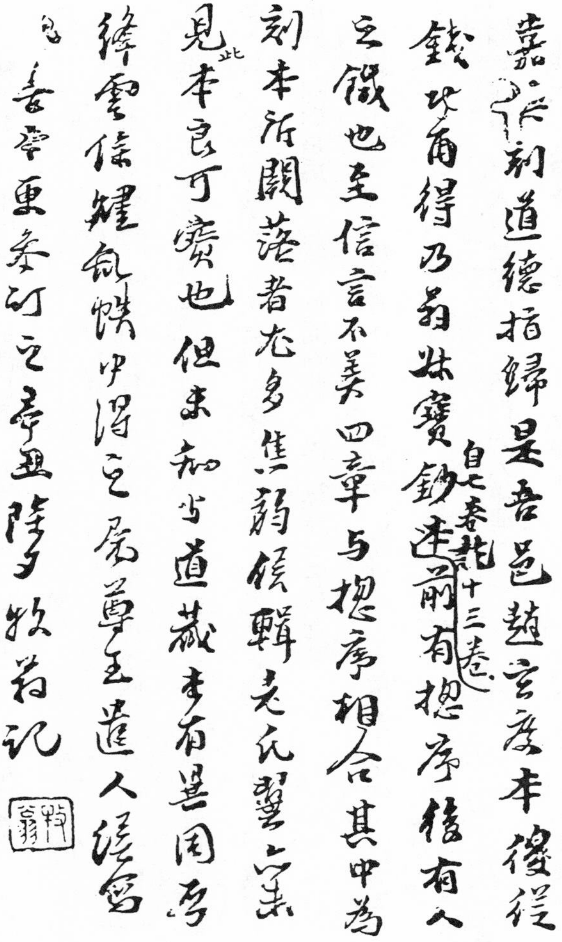

〈說明文字〉錢謙益酷愛道書，這是他在明刊本《道德眞經指歸》一書上所寫的跋。

喜好藏書・刊書・抄書的毛晉

毛晉（西元一五九九年—一六五九年），原名鳳苞，字子久（一作子九）。改名晉，字子晉，號潛在。弱冠前字東美，晚號隱湖，別署汲古閣主人、篤素居士。明代末年江蘇省常熟縣人，家住昆湖東七星橋。他的藏書樓，一個叫「汲古閣」，一個叫「目耕樓」，而以前者較爲世人所熟知。

子晉年少時，即喜購書、藏書，他尤喜歡宋元舊本，曾在門上寫著：「有以宋槧本至者，門內主人計葉酬錢，每葉出二佰。有以舊抄本至者，每葉出四十。有以時下善本至者，別家出一千，主人出一千二百。」當時江浙一帶書商，雲集於七星橋，有一句諺語說：「三百六十行生意，不如鬻書於毛氏。」清代初年的著名詩人吳梅村曾寫了一首〈汲古閣歌〉，有「嘉隆以後藏書家，天下毗陵與琅邪；整齊舊聞收放失，後來好事知誰及。比聞充棟虞山翁，里中又得小毛公；搜求遺逸懸金購，繕寫精能鏤板工」之句。詩中「虞山翁」指的是錢謙益，「小毛公」指的是毛晉。毛氏的藏書，經多年的購求，多達八萬四千餘册，他把宋元刊本及精善的刊本放在「汲古閣」，較常見的刊本及抄本、校本則放在「目耕樓」。「汲古閣」爲二層樓建築，每層三楹，十二排書架，藏有經、史、子、集四部書及佛教、道教典籍，大部分是宋代刊本，一部分是金元刊本，毛氏每天坐在閣下，從事校讐。

「汲古閣」不僅藏書豐富，所刊刻的圖書，也名聞天下。毛氏之勤於刻書，和他的不得意於場屋及當時的環境有關。毛氏在十來歲時通過了童子科的考試，當上了諸生，二十六歲時，還選上了博士弟子員，但是卻始終沒能考上進士，所以發憤藏書、刻書，希望在文化上有所貢獻，同時可以鬻書維持生活。另一方面，江浙一帶，自宋代起，出版業發達，與四川、福建合稱三大刻書中心，毛氏所居正是出版業發達的太湖附近，那裡有一流的刻工，又盛產印書所需的紙張，毛氏家中既然有豐富的藏書，從事刻書業，自然方便多了。

毛氏所刻的書，範圍廣泛，經、史、子、集四部書都有，而以唐宋人的詩文別集及詞曲爲多。根據各種書目的記載，他所刊刻的書，近七百種，約六千卷，遠至廣西麗江的土司，都遣使攜帶黃金琥珀等來購書，所以當時有「毛氏之書走天下」之語。近代藏書家葉德輝也說：「毛氏刻書，至今尚遍天下，亦可見當時刊布之多，印行之廣矣。」（語見《書林清話》）。

子晉所刻的書，紙張都是特地製造的，很有特色。當時把較厚的紙張稱爲「毛邊紙」，較薄的稱爲「毛泰紙」，這些名詞，數百年後的今天，仍然沿用著。他所刻的書，版心上都刻有「汲古閣」三字，但偶有題「綠君亭」的，像《二家宮詞》、《三家宮詞》、《浣花集》等書，版心刻的是「綠君亭」。「綠君亭」是毛晉早年和好友酬唱賞月的地方，所以刻有「綠君亭」的書，大部分是較早期所刊刻的。

由於「汲古閣」藏有很多的宋板書，所以毛氏刻書，很多是根據宋版刊印的，像《史記》、《漢書》、《後漢書》、《三國志》、《晉書》、《孔子家語》、《芥隱筆記》、《避暑錄話》、《劍南詩稿》、《才調集》、《花間集》等，都是根據宋板翻刻的。刻書前，毛氏除了自己校讎外，還請了很多著名的學者協助校勘，所以「汲古閣」的書，有很高的評價。毛晉的老師錢謙益在〈隱湖毛君墓志銘〉裡說：「……故於經史全書，勘讎流布，務使學者窮其源流，審其津涉。其他訪佚典、搜祕文，皆用以裨輔其正學。於是縹囊緗帙，毛氏之書走天下，而失其標準者或鮮矣。」葉德輝也說過「毛氏刻書爲江南一代文獻所繫」的話（語見《書林清話》卷七〈明毛晉汲古閣刻書之四〉）。不過，由於所刻的書太多，難免有校勘不精者，爲後人所詬病。

毛氏除了刻書外，也勤於抄書。明代末年，國勢衰弱，人民生活困苦。崇禎十五年（西元一六四二年），江浙一帶水患，里人飢寒交迫。除夕夜，毛氏家族團聚吃年夜飯，子晉放下酒杯難過的說：「此夕不知幾人當病飢，我不忍獨歡笑也。」於是叫家人把存糧發給貧窮的人。崇禎十七年（西元一六四四年），李自成攻入京師，明崇禎皇帝在煤山自縊，天下大亂，避兵者到處流竄，毛氏收容了不少流離失所的人，叫他們抄書，供給他們衣食。雷司理（起劍）贈給毛晉的詩，有「行野田夫皆謝賑，入門僮僕盡鈔書」之句，陳瑚爲毛氏的小傳，也說當時毛氏「家蓄奴婢二千指」，可見毛氏還是一位慈善家，他這種「以抄（書）代賑」的方式，是史無前例的濟賑方法。有些罕見的影宋本，則出自名家之手，清代孫從添的《藏書紀要》，就說：「汲古閣影宋精抄，古今絕作，字畫、紙張，烏絲、圖章，追摹宋刻，爲近世無有。」

毛晉有五子：襄、褒、袞、表、扆。長子和三子早卒，其他三子都能讀父書，其中又以幼子毛扆，最能繼承家學，嗜收藏古書，潛心校刊，並精通文字學。毛晉爲了希望所藏祕笈能代代相傳，特地刻了一枚朱文大方印，印文是：「趙文敏公書卷末云：『吾家業儒，辛勤置書，以遺子孫，其志何如。後人不讀，將至於鬻，頹其家聲，不如禽犢。若歸他室，當念斯言，取非其有，无寧舍旃。』」趙文敏，就是元代大書法家趙松雪（孟頫）。這五十六字是松雪在家藏《梅屋詩稿》一書卷末所寫的〈跋〉，毛氏就把它刻在印章裡，告誡後人。可是很不幸，毛晉有個孫子，喜歡品茗，有一次得到了洞庭山的「碧螺春茶」和虞山的「玉蟹泉水」，他想：如果有好的柴火，就可以泡出好茶了。於是，他把祖父所留下來的宋刻《四唐人集》書版，劈成柴片煮茶。至於其他藏書，也逐漸散去，令人不勝唏噓！

毛氏的藏書章，除了那枚五十六字的大印章外，還有「毛晉私印」、「子晉」、「毛氏藏書」、「汲古閣世寶」、「開卷一樂」、「毛晉祕篋審定眞蹟」、「在在處處有神護持」、「筆研精良人生一樂」、「仲雍故國人家」、「弦歌草堂」、「東吳毛氏圖書」、「子孫永寶」、「子孫世昌」、「汲古得修綆」等。對較罕見的宋元刊本，則鈐上橢圓形的「宋本」、「元本」印章。

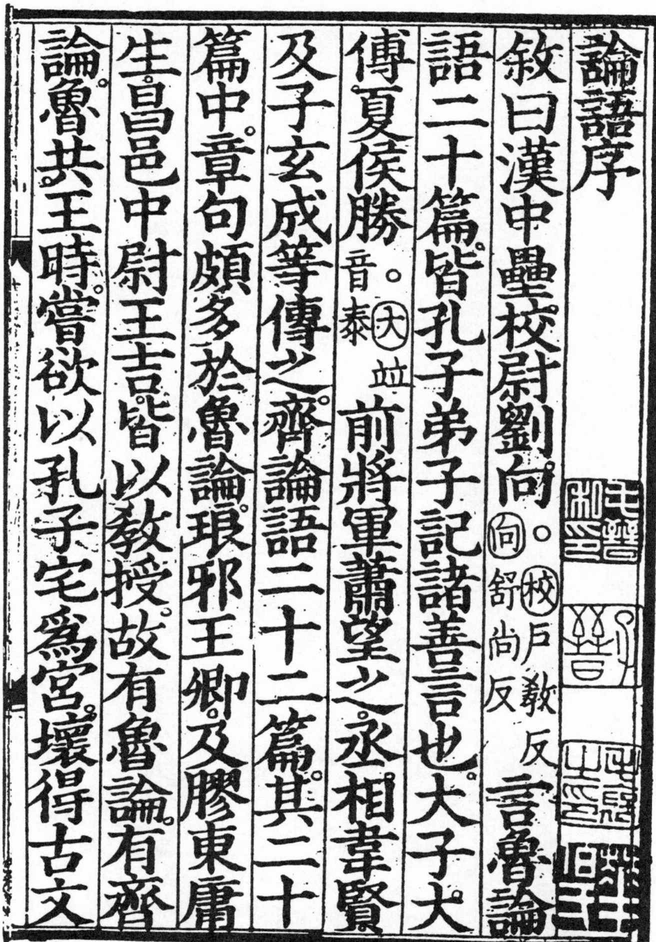

論語序

敍曰漢中壘校尉劉向。校戶敎反向舒尚反言魯論

語二十篇皆孔子弟子記諸善言也大子大

傅夏侯勝。大竝音泰前將軍蕭望之丞相韋賢

及子玄成等傳之齊論語二十二篇其二十

篇中章句頗多於魯論琅邪王卿及膠東庸

生昌邑中尉王吉皆以敎授故有魯論有齊

論魯共王時嘗欲以孔子宅爲宮壞得古文

〈說明文字〉　這是元代覆刻宋本《論語》，書中有毛氏父子的藏書章。

自比猩猩見酒的盧文弨

凡是讀過古書的人，大概都知道清代的盧文弨。因爲經他校注的經、史、子、集四部書籍將近百種，大家對他的貫通群籍，很是敬佩。而他的博學，則源於他豐富的藏書與長年不輟的抄書、校書。

盧文弨（西元一七一七年—一七九五年），字紹弓，號磯漁，又號檠齋，晚年號弓父，讀書、藏書的地方叫「抱經堂」，所以別人稱他「抱經先生」。本爲浙江餘姚人，後遷杭州，所以寫文章時，常自署「杭東里人」。考取乾隆十七年（西元一七五二年）進士，名列一甲第三，也就是俗稱的探花，官做到翰林院侍讀學士。

「抱經堂」的藏書多達數萬卷，與其他藏書家不同的，是他的藏書，多半是靠抄寫而得來，而且幾乎都經過他親手校勘。他在《群書拾補》一書的〈小引〉

裡自述「童時，喜鈔書」，可見他自幼就養成了抄書的習慣。這種抄書的工夫，奠定了盧氏堅實的治學基礎。今日多數治文史的青年，卻不再抄書、點書，以爲書容易買，買不到就影印，儲存資料，可以用電腦，何必浪費時間抄書、點書？其實，抄書、點書，不僅可增進記憶和理解，也可以發現許多前人所未發現的問題。近人梁啓超奉勸年輕人讀書要「抄錄或筆記」，他說：「這方法是極陳舊的、極笨極麻煩的，然而實在是極必要的。」比梁啓超早一百多年的盧文弨，就是用的這個方法。

除了抄書，盧氏每得一書，都要用朱、墨、黃、藍等各色筆，參考其他善本，從事校勘，一筆一畫，都不肯放過。盧文弨喜歡校書的程度，曾經自比有如猩猩見酒。嚴元照在〈書盧抱經先生札記後〉有一段說：「先生喜校書，自經傳子史，下逮說部詩文集，凡經披覽，無不丹黃，即無別本可勘同異，必爲之釐正字畫然後快，嗜之至老愈篤，自笑如猩猩之見酒也。」「猩猩見酒」是怎麼樣的一種心情呢？《後漢書》（卷八十六）〈注〉曾引《南中志》一書有這樣的記載：「猩猩在山谷中，行無常路，百數爲群。土人以酒若糟設於路，又喜屩子，土人織草爲屩，數十量相連結。猩猩在山谷見酒及屩，知其設張者，即知張者先祖名字，乃呼其名而罵云『奴欲張我』，捨之而去。去而又還，相呼試共嘗酒。初嘗少許，又取屩子著之，若進兩三升，便大醉，人出收之，屩子相連不得去，執還內牢中。人欲取者，到牢邊語云：『猩猩，汝可自相推肥者出之。』既擇肥竟，相對而泣。即〈左思賦〉云『猩猩啼而就禽』者也。昔有人以猩猩餉封溪令，令問餉何物，猩猩自於籠中曰：『但有酒及僕耳，無它飲食。』」這一段，把猩猩見酒、嗜酒，明知其爲陷阱仍捨命不捨酒的情形，寫得十分生動。盧氏之所以自比猩猩見酒，因爲校書既費時間、體力，也很傷眼，但是由於有益於學，所以一看到書，又禁不住校起來了。錢大昕說他「鉛槧未嘗一日去手」，金甡形容他校書時「目勞手倦苦相角」，都是很眞實的寫照。他一生所校勘的成果，部帙大的，像《春秋繁露》、《白虎通德論》、《賈子新書》、《方言》、《顏氏家訓》、《經典釋文》等，都另行刊印外，其餘的都收在《群書拾補》一書中。

盧氏的藏書，後來大部分歸丁丙，現在根據丁氏的《善本書室藏書志》及其他文獻，尋出他常用的藏書章有：「盧文弨」、「盧文弨印」、「弓父」、「弓父書册」、「弓父手藏」、「弓父手校」、「檠齋」、「數間草堂」、「數間草堂藏書」、「武林盧文弨寫本」、「武林盧文弨手校」、「武林盧文弨家經籍」、「鍾山書院長」、「白首尚鈔書」、「東里盧氏弓父書册」、「東里抱經堂記」、「抱經堂寫校本」、「抱經堂校定本」、「錢塘抱經堂藏」、「文弨讀過」、「精校善本得者珍之」、「不學便是面牆」、「抱經堂藏」、「抱經堂印」等。

盧氏曾先後主持過江蘇的鍾山、紫陽二書院，並寫過〈鍾山札記〉，藏書章「鍾山書院長」，就是當時所鐫。

序

長江詩雖不合雅奏然尚有古意讀之可以矯熟媚綺靡之習明海虞馮鈍吟班有評本長洲何義門焯得之稱善其字句洵遠出俗本之上如云十年磨一劍霜刃未曾試今日把似君誰為不平事鈍吟云誰為不平便須殺卻此方是俠烈之槩若作誰有不平與人報雠直賣身奴耳一字之異高下懸殊舊本之可貴類若是余得其本因臨寫之欲令後生知讀書之法必如此研校而後古人用意之精可得也

乾隆四十有一年小除夕范陽盧文弨書於東里之數間草堂

〈說明文字〉這是盧文弨手抄唐代詩人賈島《長江集》前的〈序〉。這部書原藏國立北平圖書館，今存國立故宮博物院。

刻書積善的鮑廷博

我們翻閱《四庫全書總目》時，可以發現像《橘錄》、《海棠譜》、《荔枝譜》、《百菊集譜》等書下面，註明「浙江鮑士恭家藏本」。原來，乾隆年間編《四庫全書》時，其書籍的來源，除了內府的藏書和各省巡撫採進的本子以外，有很多是大藏書家進呈的。所謂「鮑士恭家藏本」，就是鮑家進呈的。士恭，是當時著名藏書家鮑廷博的兒子。鮑廷博命兒子把書進呈宮中，供四庫全書館繕錄，所以就用「鮑士恭家藏本」的名義著錄。

鮑廷博（西元一七二八年－一八一四年），字以文，號淥飲，由於曾經作了一首〈夕陽〉詩，所以袁枚、阮元等人都稱他爲「鮑夕陽」。本是桐鄉縣人，在他父親時，遷居杭州。

廷博非常孝順，由於父親喜歡讀書，所以常常購書，以博得父親的歡心；有些買不到的書，就設法向別的藏書家借抄，於是藏書漸富，並取《小戴記・學記》裡「學然後知不足」的意思，書樓命名爲「知不足齋」。

鮑氏最難能可貴的，是不以藏書祕爲己有，不以珍籍一人獨賞爲樂。乾隆年間編《四庫全書》時，他先後把珍藏的六百二十六種祕籍進呈，謄錄在《四庫全書》裡，乾隆皇帝特頒了一部《古今圖書集成》和《金川圖》、《伊犁得勝圖》給他，並作詩說：「知不足齋奚不足，渴於書籍是賢乎！」以褒獎他。鮑氏專闢一室，取名「賜書堂」，廣三楹，分四大廚，以存放這些賜書。

此外，鮑氏並從乾隆四十一年（西元一七七六年）起，把家藏精本刊刻爲《知不足齋叢書》，以讓好書得廣爲流傳。他以每八冊爲一輯，一直到嘉慶十九年（西元一八一四年）去世爲止，先後共刊刻了二十七集；其後，他的兒子鮑士恭繼承父志，繼續刊刻到第三十集。共收書二百零七種，七百八十卷。在清代所有的私家叢書中，可稱翹楚。著名的史學家王鳴盛稱讚《知不足齋叢書》「有功於藝林爲甚巨」。

鮑氏刻書，都親自校對，一個字也不馬虎。筆者在今臺北國家圖書館，見過鮑氏「知不足齋」所抄寫的《重雕足本鑒誡錄》（五代何光遠撰）一書，原來就是收在《知不足齋叢書》第二十二集裡該書的原始底本。書中處處可見鮑廷博校勘的手跡，其中有一則題記說：「乾隆丁酉八月，傳飛鴻堂汪氏本，再以金氏桐華館本勘一過。兩本謬誤正同，非得善本覆校，不可讀也。十八日燈下記。」文中的「飛鴻堂」，是當時浙江另一著名藏書家汪啓淑（西元一七二八年－一七九九年）的藏書樓；「桐華館」則是藏書家金德輿（西元一七五〇年－一八〇〇年）的藏書樓。鮑氏爲了校書，到處借書來校，其勤奮、務實，可見一斑。

清代的張之洞曾勸人刻書，他說：「刻書者，傳先哲之精蘊，啓後學之困蒙，亦利濟之先務，積善之雅談也。」葉德輝也說過：「積金不如積書，積書不如積陰德，是固然矣。今有一事，積書與積陰德皆兼之，而又與積金無異，則刻書是也。」那麼，鮑氏不愧爲積善爲樂的藏書家了。

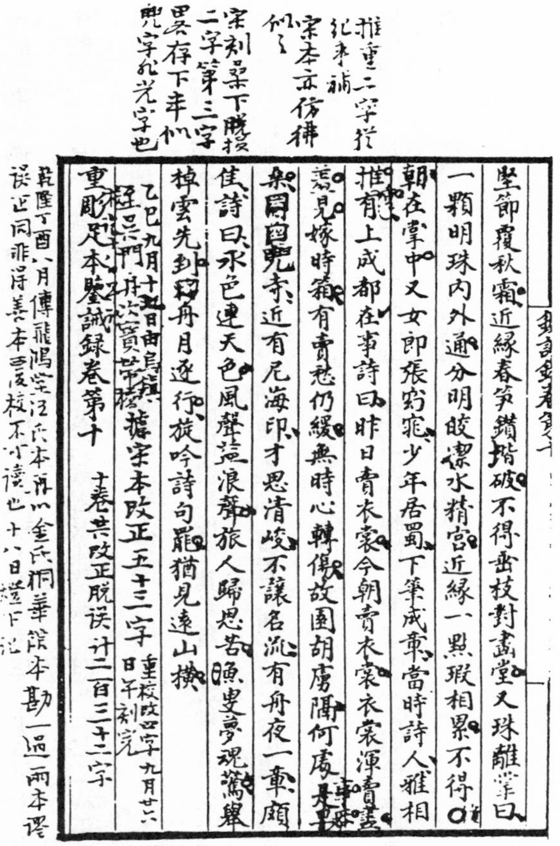

〈說明文字〉這是知不足齋抄寫的《重彫足本鑒誡錄》（五代何光遠撰），書中處處是鮑廷博校勘的手跡。

由「禮陶」・「寶陶」而「夢陶」的周春

藏書家每喜歡以鎮庫之寶爲書室命名，像明代的陳繼儒（號眉公），曾獲唐代顏眞卿書朱巨川告身，於是把藏書室取名爲「寶顏堂」；清代的翁方綱，以藏有蘇軾的〈嵩陽帖〉法書和宋代施、顧注的《蘇東坡先生詩》，而把書室取名爲「蘇齋」。民國初年的潘宗周，曾購得宋代刊刻的《禮記正義》，因此把居處命名爲「寶禮堂」。最有趣的是清朝光緒年間趙之謙的室名了。趙之謙（西元一八二九年—一八八四年），浙江紹興人，字益甫，別字鐵三、僞叔，號冷君、无悶、笑道人等，是清末著名的書畫家。他的字出自王羲之、王獻之、顏眞卿，沉雄厚實。他的畫，以花卉最精，與任頤（伯年）、吳俊卿（昌碩）並稱「清末三大畫家」。趙氏富於藏書，他的書齋叫「仰視千七百二十九鶴齋」，長達十個字，也很奇特。原來有一天，他夢見群鶴飛翔，羽翼蔽天，他仔細一數，共有一千七百二十九隻，可是這群美麗的鶴映在水中的影子，卻變成了一群鸛鵝雞鳧，而且還雜了一些蟦螳蝱蜣蚈螇蠮螉等各種蟲，水中的影子，無一是純潔高尚的鶴。趙氏懷才不遇，只做到江西南城知縣，他覺得自己屈居下屬，而那些卑鄙齷齪之輩，反居其上，就像夢中所見高高在上的白鶴，不過是群鸛鵝雞鳧罷了，所以就取了這麼一個書齋的名稱，藉以自遣。不過，隨著所藏珍祕的得失，一再改易室名的，大概以周春最令人同情了。

周春（西元一七二九年—一八一五年），字芚兮，號松靄，晚號黍谷居士，別稱內樂村農。清浙江海寧人。考取乾隆十九年（西元一七五四年）進士，派到廣西省岑溪縣當知縣。在任內，改革陋規，使百姓得以安居樂業。後來因父母亡故，辭官歸里，岑溪縣民爲了感念他，特地建了祠堂紀念。

周春辭官後，絕意仕進，專心讀書寫作。他藏書的地方，一叫「松聲山房」，一叫「曇花館」，藏書很多，其中有一部日本人松貞文元所撰《泰古梅園墨譜》，中土罕見，甚爲珍貴。周氏的讀書地方叫「著書齋」，四周圖書環列，周氏在其中讀書寫作，前後三十年，終年不拂除，凝塵滿屋，可見其用功之勤奮與專一。

乾隆四十六年（西元一七八一年）四月晦日，鮑廷博和吳葵里到「著書齋」探望周春。鮑氏談到他曾得一部湯漢注的宋刊本《陶詩》，不知湯漢是何許人，所以把書送給了好友張燕昌（字芑堂，號文魚，海鹽人）。周春一聽，便知是一部珍本，由於周春博學多聞，他知道湯漢是南宋理宗淳祐年間的大學者，所注《陶詩》，十分精審。於是就向張燕昌把《陶詩》借回家閱讀。這部宋代刊刻的《陶詩》，每半葉七行，每行十五字，四卷，二冊。每冊書末用金粟山藏經箋宋人寫經爲護葉，周春愛不釋手，張燕昌屢次催索，周春始終不肯送還。張氏不得已，只好央請友人從中斡旋調解。經過兩年的排解，周春用一塊重達一斤，明代葉元卿所製的「夢筆生花」大圓墨，換得了這部《陶詩》。張燕昌爲什麼答應這項交易呢？原來張燕昌喜歡寫字，正需要一塊好墨，而葉元卿是明代著名的墨工，他所調製的墨，從採松、造窯、發火、取煤、和製、入灰、出灰等過程，都非常考究，「夢筆生花墨」，和當時蘇眉陽的「臥蠶墨」、方正的「獨草清烟墨」，都是書法家最喜愛的墨中佳品。不過，黃蕘圃批評周春獲此書的手段，近乎「巧取豪奪」，不足爲訓。

周春得到《陶詩》後，自是高興萬分，立刻在卷首一口氣寫了九則題記，在卷末寫了一則跋，並聲稱將來要與它一起殉葬。於是和家中舊藏的宋刻《禮書》放在一起，把書室取名「禮陶齋」。後來，家道中落，經濟拮据，把《禮書》售出，於是把書室易名爲「寶陶齋」。有一天，一位吳姓書賈帶了很多銀元到周春家，言明想買宋刻《陶詩》。周春以爲書賈買不起，於是開價三十二銀元，並且說：「身邊立有，絕不悔言。」沒想到吳姓書賈立刻掏出三十二銀元，周春不敢食言，只好眼睜睜看著心愛的祕笈爲人購去，不禁淚下數行，傷心之餘，又把書齋易名爲「夢陶齋」了。後來，這部書輾轉流落到以「佞宋」自稱的黃丕烈，現在書中所有的題記，都迻錄到《蕘圃藏書題識》一書裡。

周春除了藏書，著述也很多，著有《十三經音略》、《中文孝經》、《小學餘論》、《遼金元姓譜》、《遼詩話》、《海昌勝覽》、《紅樓夢隨筆》、《選材錄》、《松靄遺書》等。他的藏書章有：「周春」、「松靄」、「周春松靄」、「芚兮」、「黍谷周春」、「松聲山房」、「內樂村農」、「自謂是羲皇上人」、

「子孫世昌」、「松靄藏書」、「海寧周氏家藏」、「著書齋」、「周春字芚兮號松靄」等。

乾隆壬子孟冬購得尚書表注為顧伊人所藏
本後歸吾邑花山馬氏道古樓馬氏售於武林
吳氏瓶花齋即此書也何義門謂書有殘缺顧
伊人意為補全未可盡信細校此書方知意為
補全之處且與通志堂刊本微有異同案仁山
先生集有尚書表注序而伊人抄補之序亦復
刪節不全今並存之近時發郡以通志堂本重
刻版樣縮小以致標題位置多訛又缺其下方
大非表諸四闌外式矣 松靄周春記

〈說明文字〉 這是周春在南宋建刊本《尚書表記》（宋代金履祥撰）一書上所寫的題記。

提倡建立「儒藏」的周永年

早期的藏書家，多數視所藏爲私秘，除二三好友可以有條件的互借互抄外，他人鮮有借閱的機會。把圖書看做學術公器，具有現代圖書館觀念的藏書家，清代的周永年，是最傑出的一位。

周永年（西元一七三〇年—一七九一年），字書昌，清代山東濟南歷城人。因結茅於林汲泉側，所以別號「林汲山人」。考取乾隆三十六年（西元一七七一年）進士。乾隆年間修《四庫全書》時，周氏由於學問好，也被徵召參與纂修，擔任「校勘永樂大典纂修兼分校官」，他的主要工作，一方面從《永樂大典》中輯出佚書，一方面撰寫《四庫全書總目提要》。

《永樂大典》是明朝成祖永樂初年敕編的一部「類書」。所謂「類書」，類似西方的「百科全書」，把所有的圖書資料，分類編纂，以便索檢。《永樂大典》全書二萬二千八百七十七卷，《凡例》、《目錄》六十卷，分裝成一萬二千册，共約三億七千萬字，篇幅甚鉅。這部百科全書，收錄了不少古書，有些古書，清代時已不見單行本，只有《永樂大典》裡還有，所以從《大典》裡輯出佚書，便成爲纂修《四庫全書》的一項重要工作。周永年先後從《大典》裡抄出十餘種罕見的重要文獻，例如宋代蘇東坡的次子蘇過所著的《斜川集》，明代中葉以後就少有流傳，清代就有人把宋代劉過的《龍洲集》和謝薖的《謝幼槃集》抄在一起，冒充《斜川集》出售圖利。周永年發現《大典》裡有眞正的《斜川集》，於是把它輯出，世人才得以讀到眞正的《斜川集》。至於《四庫全書總目提要》，一般人都以爲是永瑢或紀昀寫的，尤其是紀昀，不少人都佩服他才學廣博，能寫出綜貫四部之學的《四庫提要》，甚實不然。永瑢是乾隆皇帝的第六子，在十六個「正總裁官」中排名第一，由他領銜進呈《四庫提要》，所以很多人誤以爲是他寫的。至於紀昀，他是三個「總纂官」之一，排名第一，他在編纂《四庫全書》及撰寫《四庫提要》時，固然有「總其成」的功勞，但是「提要」絕不是他一個人所能完成的。當時撰寫「提要」的學者很多，《經部》是由戴震負責，

《史記》是邵晉涵總其成，《集部》是由紀昀主持，而《子部》則是由周永年主其事。所以周氏對《四庫全書》及《四庫全書總目提要》的完成，有其一定的貢獻。

談到周永年參與修纂《四庫全書》，還有一段故事。乾隆在纂修《四庫全書》時，很重視校勘的工作，以避免錯誤，所以設置了不少專事校勘的官員：有「校勘永樂大典纂修兼分校官」三十九人；「天文算學纂修兼分校官」三人；「繕書處總校官」四人；「繕書處分校官」一百七十九人；「篆隸分校官」二人；「繪圖分校官」一人。每一部書抄謄完畢後，在每一書的封頁裡，都要註明詳校官、覆勘、總校官、校對官、謄錄、繪圖等人的官銜和姓名，以示負責。如果錯誤被發現，都要記過處分；多次犯錯，則交部議處。周永年由於擔任「校勘永樂大典纂修兼分校官」，只要是從《永樂大典》輯出的書有任何錯誤，他都要受處分，據統計，單單在乾隆四十六年秋季，就被記過達五十次之多。

周永年從少時就喜歡買書，藏書、讀書的處所叫「林汲山房」，藏書多達五萬卷。他曾繪了一幅「林汲山房圖」，好友翁方綱題了兩首詩，其一云：「因山並寺託幽居，對畫看山十載餘；清梵雲中出鏡磬，浩歌風外答樵漁。芳菲百本仍開圃，悵望千秋更借書；攲枕春明勞夢寐，故鄉如此好林廬。」其二云：「鈔從館閣逮瞿曇，中麓儲藏比未堪；萬卷波瀾瀉瓶水，千峰結構到茅庵。載書莫浸推池北，名士從來屬濟南；春雨欲催農事起，暮雲如畫點烟嵐。」第一首寫山房景色的清幽，第二首則是推崇藏書之富。第二首詩中所說「瞿曇」，指唐代開元年間的僧人瞿曇悉達。瞿曇曾任太史監，掌管天文曆法等文獻，所著《唐開元占經》（一百一十卷），徵引繁博，內容豐富。把周永年和瞿曇並論，可見其蒐藏之富。

周氏最令人敬佩的，是他倡言成立「儒藏」。「藏」，就是「書藏」，類似今日的公共圖書館。「書藏」的由來已久，《史記》的〈老子傳〉，就記載老子曾當過「守藏史」。不過，早期的圖書多由官府掌管，一般人難以借閱，所以周永年所推動的「儒藏」，是希望每一書都能抄成很多副本，分藏於全國學官、書院、名山、古刹。他認爲「書籍者，所以載道紀事，益人神智者也。自漢以來，購書藏書，其說綦詳。官私之藏，著錄亦不爲不多，然未有久而不散者，則以藏之一地，不能藏於天下；藏之一時，不能藏於萬世。」所以他希望在各地成立「儒藏」，「俾古人著述之可傳者，自今日永無散失，以與天下萬世共讀之。」（以上引號中語，並錄自周永年所撰〈儒藏說〉）。

周氏為了實現這種圖書為學術公器的理念，除了撰寫〈儒藏說〉，說明其理念外，並訂定了〈儒藏條約三則〉，說明推動的方法。同時，付諸行動，和桂馥一起買田設置「借書園」，積書十萬卷，供人閱讀抄寫。他可以說是我國推動現代公共圖書館的先驅。

他的藏書章有「林汲山房藏書」、「傳之其人」。

斜川集卷一

書狀表啟

論海南黎事書

宋 蘓過叔黨甫撰

嗚呼天下之利害縣官未始得十四五也天子不過得之左右大臣左右大臣不過得之方伯部使者方伯部使者不過得之守令守令能得之於民者特利害之似耳今天下號稱能吏者直以簿書期會潔身奉已而已尤異者使民尊之如鬼神畏之如雷霆可謂能矣然上之情不可知下之情不能達所謂利害之實何從而得之哉昔然明欲毀鄉校子產弗許以為鄭人朝夕游焉

〈說明文字〉 周永年從《永樂大典》抄出的眞本《斜川集》。

寒可無衣・飢可無食・不可一日無書的吳騫

「寒可無衣，飢可無食，至於書，不可一日失。昔人貽厥之名言，是為拜經樓藏書之雅則。」這長達三十三字的藏書章，是清代藏書家吳騫眾多藏書章中的一枚，由此可知吳氏嗜書之深。

吳騫（西元一七三三年——一八一三年），字槎客，一字葵里，號兔牀，清浙江海寧新倉里人。他曾從好友魏小洲處，摹寫〈蜀石經毛詩殘序〉，甚寶愛之，於是把藏書樓取名為「拜經樓」。

吳氏之嗜書，可以從一些行事看出：他只要遇到好書，必定傾囊而購，甚至不惜典衣購買，還特地寫了一首〈典裘購書歌〉。有一回，他購得一部宋代刊刻的《周禮》。《周禮》是十三經之一，也叫《周官》，剛好次子壽暘出生，就把壽暘的小字取爲「周官」。又有一回，購得一部宋代刊本《百家注東坡集》，於是把藏書處取名「蘇閣」，同時用「蘇閣」做爲次子壽暘的號。

與吳氏同時代的黃丕烈，藏書樓叫「百宋一廛」，以誇耀藏有百部宋版書。吳騫則在居處題稱「千元十駕」，以與黃丕烈匹敵。意思是說，元版雖不如宋板的珍貴，但是千部元版，總該抵得上百部宋版了。「十駕」二字，有人寫成「十架」，就是十個書架，遠不如「十駕」來得有深意。因爲一方面千部元版書，相當厚重，而要「駑馬十駕」才載得動；另一方面，那麼多的書，只有學駑馬鍥而不捨的精神，才讀得完。與吳氏同時代的大學者錢大昕，讀書處所名「十駕齋」，並把讀書心得寫成《十駕齋養新錄》，取意大致相同。

吳氏與妾徐氏共享讀書吟詩之樂的事，在當時書林，傳爲美談。吳氏在五十五歲時，娶一妾叫徐貞。徐氏字蘭貞，平湖北墅里人，嫁給吳氏時，年方十九。徐氏知書畫，也能吟詩填詞，著有《珠樓遺稿》一卷。遺憾的是，徐氏三十一歲時就去世。吳騫很傷感，特地爲她寫了一篇〈小傳〉和〈哀蘭絕句十九首〉。〈小傳〉有一段說：「予性喜圖史，案頭典籍縱橫，輒爲繁比，香鑪茗盌，位置務極楚楚。」絕句十九首，其一云：「生長深閨十九春，明珠一斛聘來新；扁舟載得如龍女，不數春江打槳人。」這是回憶當年聘娶徐氏的情景。其十六云：「不問朝雲幾歲時，披圖惟見少游詩；京華鵡水三千里，空寄烏絲泣鬢絲。」這是想起徐姬常用烏絲欄的紙張抄寫唐詩，小楷工整，如今人去樓空，傷懷而作。

吳氏的藏書章很多，除了開頭所提的三十三字藏書章外，還有「吳騫之印」、「愚谷」、「槎客」、「相客」、「兔牀山人」、「兔牀手校」、「兔牀眞賞之章」、「吳氏兔牀書畫印」、「吳騫讀過」、「吳兔牀書籍記」、「拜經」、「拜經樓典籍記」、「拜經樓吳氏藏書」、「拜經樓吳氏藏書印」、「十二橋南烟舍」、「小桐谿上人家」、「千元十駕人家」、「千元十駕人家藏章」、「宋本」、「事學鍾離存義槩書求宛委續餘編」、「臨安志百卷人家」。其中「臨安志百卷人家」，是他先後購得宋刊本《咸淳臨安志》九十一卷、《乾道臨安志》三卷、《淳祐臨安志》六卷三書，爲了紀念三書難得聚在一處而刻的。

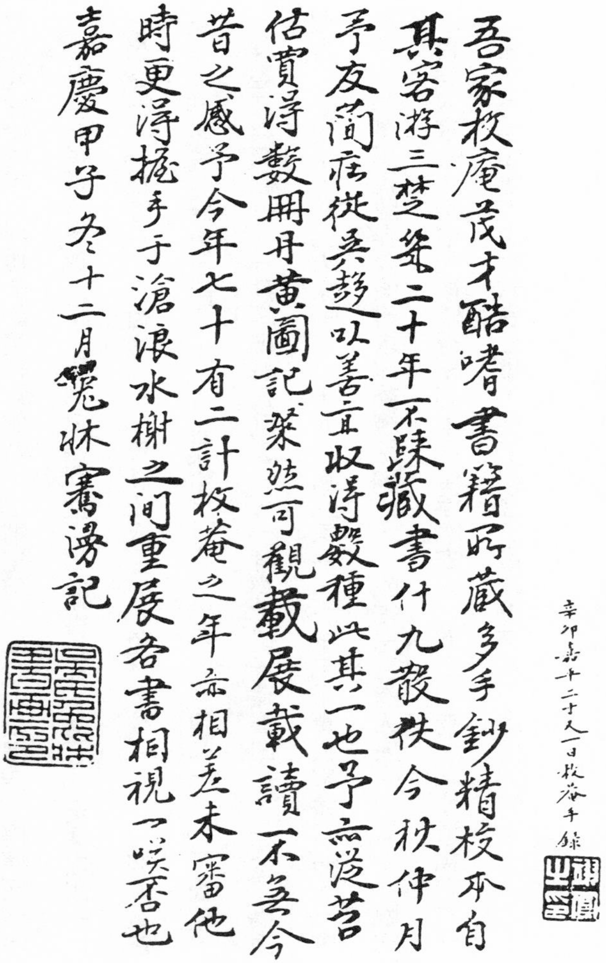
吾家枚庵茂才酷嗜書籍所藏多手鈔精校本自
其客游三楚垂二十年而所藏書什九散佚今秋仲月
予友簡莊從吳趨以善直收得數種此其一也予亦從苕
估賈得數冊有黃圖記粲然可觀載展載讀不無今
昔之感予今年七十有二計枚庵之年亦相差未遠他
時更得攜手于滄浪水榭之間重展各書相視一笑否也
嘉慶甲子冬十二月兔牀騫漫記

辛卯嘉平二十八日枚庵手錄

〈說明文字〉這是吳騫在抄本《述古堂書目》上手寫的跋。右下方一行小字，是抄寫者吳翌鳳的字。

獨鍾蘇東坡的翁方綱

蘇東坡的詩文書法，很多人喜歡。不過，在藏書家裡，對蘇東坡的詩文法書，情有獨鍾，蒐訪最勤的，是清代的翁方綱。

翁方綱（西元一七三三年—一八一八年），字正三，一字忠敘，號覃溪，又號蘇齋、寶蘇，清順天大興（今屬北京）人。考取乾隆十七年（西元一七五二年）進士，改庶吉士，散館授編修，官做到大學士。

翁氏的讀書室叫「蘇齋」。「蘇」，指的是蘇東坡。爲什麼取名「蘇齋」呢？他說：「予年十九，日課《漢書》一千字，明海鹽陳文學許廷輯本也。文學號蘇庵，則願以蘇齋名書室，竊附私淑前賢之意。」後來，在乾隆三十三年（西元一七六八年），購得蘇東坡所寫的〈嵩陽帖〉；乾隆三十八年（西元一七七三年），又得到宋代施元之、顧禧同註的《蘇東坡先生詩》宋刻殘本，益覺自己與蘇東坡有緣，於是把藏書處取名爲「寶蘇室」。

談到施元之、顧禧同註的《蘇東坡先生詩》，初刊於南宋嘉定年間，但是流傳很少，喜讀蘇詩者，遍訪不獲。一直到清初，這本書才又出現，但是已殘缺不完整了。翁氏一旦得此秘笈，自然視同珍寶，一連在書上寫了三十二則題記，當時著名的人物也都來借觀，所以現在這部書裡，鈐滿了印章，寫滿了各種「題記」和「觀款」。

翁氏先後得了〈嵩陽帖〉和宋刊殘本施、顧注《蘇詩》，剛巧有人送他一方「歙研」（安徽以出產硯台著名），黝澤而宜墨，於是他就從蘇東坡的法書裡，輯出「寶蘇室」三字，摹在匾上。爲此，還特地寫了一篇〈寶蘇室研銘記〉，說明成立「寶蘇室」的緣由和經過。其中有段說：「凡室之中，有益於身心則寶之，資於行事則寶之，能助問學、廣見聞則寶之。」可見他對「寶蘇室」的重視。

翁氏的藏書處所，除「寶蘇室」外，另有「三萬卷齋」、「三漢畫齋」、「石墨樓」等。翁氏的藏書，應不止三萬卷，《履園叢話》說：「所居京師前門外保安寺街，圖書文籍，插架琳琅。登其堂者，如入萬花谷中，令人心搖目眩而無暇談論也。」可見其藏書之富與精。

翁氏之鍾愛東坡，不僅勤蒐其詩文集及法書，舉凡東坡的圖像、年譜等，都在蒐採之列。我們現在看翁方綱的詩文集《復初齋文集》，與蘇東坡有關的文章不少。例如〈夢蘇州草堂坡像贊〉、〈黃秋盦所供東坡笠屐像贊〉、〈東坡居士像贊爲周載軒題〉、〈坡公笠屐像贊〉、〈又坡公笠屐像贊〉、〈書蘇文忠年譜後〉、〈跋東坡隸書石刻〉、〈跋東坡海市詩石刻〉、〈跋東坡書金剛經〉、〈跋東坡詩稿二首〉、〈跋蘇書別功甫帖〉、〈跋坡公像三首〉等。連作夢都會見到東坡，其想念之殷可見。

翁氏在學藝方面，涉獵很廣，我們看他等身的著作，四部都有，不過，他在金石書法上的聲名，每每掩蓋了其他方面的成就。他的書法，初學顏眞卿，繼學歐陽詢。隸書則學史晨、韓勅諸碑。生平用雙鉤的方法，摹勒舊帖數十本，用力不少。每年大年初一，他要在一粒芝麻上，寫「天下太平」四字，以示慶賀，從少到老，不從間斷，可見他眼力、身體之佳。而他養生之道，也是得自東坡。有一天，他遊訪羅浮道院，登白鶴峰，在「思無邪齋」見到東坡所寫的一首銘，上寫：「乃根乃株，乃實乃華，金丹自成，曰思無邪。」他頓然了悟長生之道。他活了八十六歲，並有幸參加「千叟宴」和「瓊林宴」，享盡長生之樂。

翁氏的藏書章，有「蘇齋墨緣」、「秘閣校理」、「恩加二品重讌瓊林」、「內閣學士內閣侍讀學士翰林侍讀學士」、「翁方綱」、「翁方綱印」、「覃谿」、「覃谿眞賞」、「蘇齋」等。

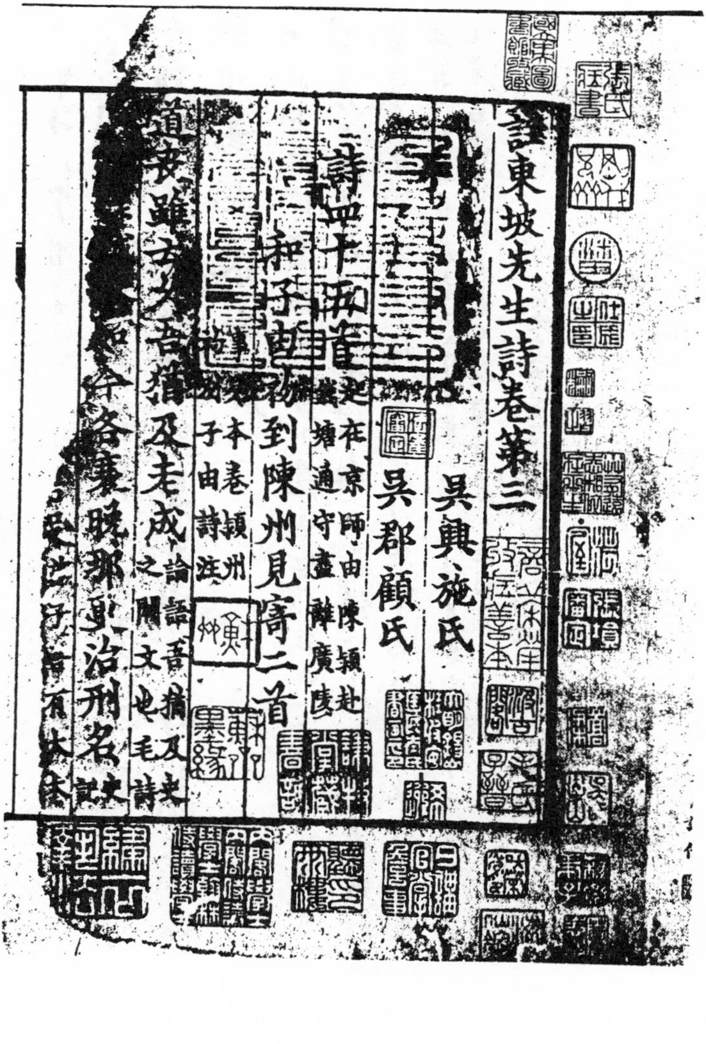

註東坡先生詩卷第三

吳興施氏

吳郡顧氏

詩四十兩首

和子由……到陳州見寄二首

〈說明文字〉

這部宋代刊刻的《註東坡先生詩》，就是翁方綱於乾隆三十八年得到的，書中鈐滿了明清兩代藏書家的印章，其中有很多枚是翁氏的藏書章。由於曾經火災，所以書的版心部分已不完整。

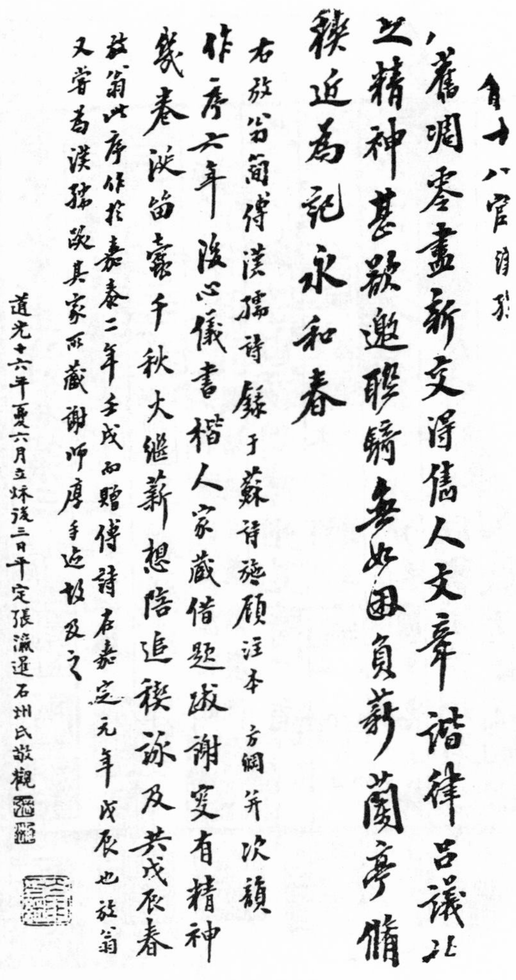

會十八官消於
舊調零盡新交得儁人文章諸律呂議比
之精神甚歡邀聊騎無如困負薪蘭亭脩
禊近為記永和春
右放翁簡傅漢孺詩錄于蘇詩施顧注本　方綱並次韻
作序六年後心儀書楷人家藏借題跋謝叟有精神
幾春波留億千秋大繼薪想陪追禊詠及共戊辰春
放翁此序作於嘉泰二年壬戌而贈傅詩在嘉定元年戊辰也放翁
又嘗為漢孺跋其家所藏謝師厚手迹故及之
道光十六年夏六月立秌後三日于定張瀛暹石州氏敬觀

〈說明文字〉翁方綱在這部《註東坡先生詩》一書上，寫了三十二則題記，這是其中的兩則。

首創「祭書」典禮的黃丕烈

黃丕烈（西元一七六三年－一八二五年），字紹武，一字承之，號蕘圃，又號復翁、佞宋主人、秋清居士、知非子、抱守主人、求古居士等。蘇州人，乾隆五十三年（西元一七八八年）考取了舉人，後多次參加進士考試，都不幸落第。被提拔到直隸當知縣，但未就任，仍援例官分部主事。自覺懷才不遇，不久辭官歸里，專心讀書，藏書校書，刊書及著述。

黃氏偏愛宋版書，經多年蒐求，所得宋刊本有一百多種，乃顏其室曰「百宋一廛」，其好友顧廣圻曾作〈百宋一廛賦〉，贊頌其藏書之精美，黃丕烈自己再為「百宋一廛賦」作注解，說明每一書的由來，而自己也自號為「佞宋主人」。

黃氏的書齋有好幾個，除了「百宋一廛」外，又有「紅椒山館」、「士禮居」、「學耕堂」、「讀未見書齋」及「學山海居」等。其中「學山海居」，專門庋藏詞曲方面的書。此外，他曾先後購得明代藏書家毛晉舊藏北宋所刊刻的《陶詩》和一部南宋刊刻的湯注《陶詩》，十分高興，放在一起，把書齋取名爲「陶陶室」，並且特地請好友喝酒慶祝，友人王芑孫還寫了一篇〈陶陶室記〉，以誌其事。

蕘翁藏書，有幾件趣事，值得一提：

第一件事是他每得一書，一方面要加以細心校讐，改正錯誤，然後寫題跋或題識。他所寫的題識，有很多是他鑑別古籍版刻的理論和經驗，也有很多書林軼聞。由於這些題跋和題記，很有見地，所以凡是有黃氏題跋的書，就叫做「黃跋本」，書價也就提高不少。這些題跋和題記，輯爲《士禮居藏書題跋記》，至於未收錄的散記題跋，繆荃孫輯爲《蕘圃藏書題識》，王大隆輯爲《蕘圃藏書題識續錄》。

第二件事是他每次得到珍貴的書本，就繪圖徵詩。譬如有次買到宋刊本《孟浩然集》，孟浩然是湖北襄陽縣人，於是繪〈襄陽月夜圖〉徵詩。有一次購得了宋程俱的《北山小集》，程俱所居叫「蝸廬」，於是就繪〈蝸廬松竹圖〉徵詩。

第三件事是他還首創「祭書」的典禮。自古以來，有各種祭典，但「祭書」之禮，則始自黃丕烈。黃氏常在除夕時，請好友到他的「讀未見書齋」或「士禮居」，以清酒蔬果祭書，並請人繪圖記其事。

黃氏除了藏書，他還把藏書中較爲罕見的二十二種書，輯刊《士禮居叢書》行世。其中像宋刊本《鄭氏周禮》、《儀禮》、天聖明道本《國語》等書，都是罕見的書。每書後面都寫了校勘記。

黃氏的藏書章很多，常見的有：「蕘圃」、「蕘夫」、「己丑病瘳」、「復翁」、「蕘圃卅年精力所聚」等。有一枚比較特殊的藏書章是「廿止醒人」。原來黃氏在乾隆甲寅（五十九年，西元一七九四年）五十九歲遭父喪，乙卯（六十年，西元一七九五年）六十歲時遭火災，日困一日。嘉慶二十年（西元一八一五年）時，有一天他又讀到陶淵明的〈止酒詩〉，這首詩是這樣的：「居止次城邑，逍遙自閒止。坐止高蔭下，步止蓽門裡。好味止園葵，大懽止稚子。平生不止酒，止酒情無喜。暮止不安寢，晨止不能起。日日欲止之，營衛止不理。徒知止不樂，未知止利己。始覺止爲善，今朝眞止矣。從此一止去，將止扶桑涘。清顏止宿容，奚止千萬祀。」全詩共二十個「止」字。黃氏從遭父喪到嘉慶二十年，惡夢正好做了二十年。他希望借陶詩的二十個「止」字，惡夢也該醒止了，所以就刻了那麼一枚藏書章。

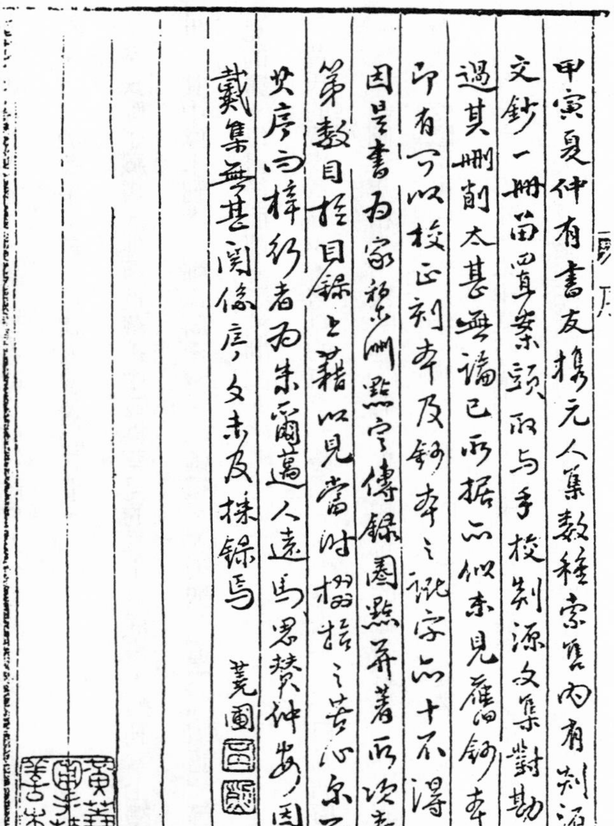

跋

甲寅夏仲有書友携元人集數種索售內有剡源
文鈔一冊留置案頭取與手校剡源文集對勘一
過其刪削太甚無論已所据亦似未見舊鈔本
即有可以校正刻本及鈔本之訛字亦十不得一
因是書為家穀州點定傳錄圈點并著所以去取
第數目於目錄上藉以見當時甄採之苦心其至
其序而梓行者為朱爾邁人遠焉思樊仲為人因與
戴集無甚關係序文未及採錄焉　蕘圃

〈說明文字〉　這是明刊本《剡源戴先生文集》，書中有黃丕烈的跋和藏書章。

有功寺院藏書的阮元

阮元（西元一七六四年－一八四九年），字伯元，號芸臺，別號雷塘庵主，晚號怡性老人，室號「南柳堂」。考取乾隆五十一年（西元一七八六年）舉人，時二十二歲，三年後（乾隆五十四年）考取進士，入翰林院，值祕閣，為乾隆皇帝所賞識，令其充任石經勘官。後督學山東、浙江，並歷任河南、浙江、江西等省巡撫，升任兩廣、湖廣、雲貴總督，晚年官拜體仁閣大學士，管理兵部兼署左都御史，退休封太保，加太子太傅銜。

談起阮元，一般人都知道他是著名的經學家，張之洞的《書目答問》，也是把他列為經學家。的確，他所寫的《經籍纂詁》，是一部用來解釋經典字義的重要詞典；他所編的《皇清經解》一千四百卷，是總結清代前期經學著述的大成；他所校勘刊印的《十三經注疏》，是到目前為止，校勘得最好的《十三經注疏》

本。其實，阮元的學問非常博洽，除了經學，他在金石學、天文、曆法及詩文詞，都有很好的造詣。同時，阮元也是著名的藏書家，尤其是對寺院的藏書，貢獻卓著。

阮元的家，住在揚州舊城的「文選樓巷」，隋唐之際的曹憲，曾在那裡以《昭明文選》教授諸生，所以叫做「文選樓巷」，也簡稱「文選巷」。阮元所居，正是「文選巷」舊址，他爲紀念這位唐代的學者，於是在嘉慶十年（西元一八〇五年），建了一棟「文選樓」，做爲藏書之所，並且撰寫了〈揚州文選樓銘〉，立石紀念。銘文的最後四句是：「棟充書袟，窗散芸香。刻銘片石，樹我山廧。」可想見藏書的繁富。

「文選樓」的藏書，有不少是罕見的祕笈。譬如南宋淳熙八年（西元一一八一年）尤袤所刊刻的《文選》，是「文選樓」鎮庫之寶。另外如宋刊本《金石錄》及《延熹廟碑》等，都是海內罕覯的珍貴文物。

阮元不僅自己藏書，也推動寺院的藏書事業。嘉慶十四年（西元一八〇九年）和十八年（西元一八一三年），他先後在杭州「靈隱寺」和江蘇的「焦山」，推動成立「靈隱書藏」和「焦山書藏」。「書藏」也簡稱「藏」，也就是藏書的地方，古代用「藏」，後代用「館」、「閣」、「庫」等名詞。「書藏」類似近代的圖書館，其命名是取其圖書藏諸名山之義。

「靈隱書藏」和「焦山書藏」，不僅是中國佛教寺院藏書的重要大事，更可貴的是，阮元都爲它們訂下了〈書藏條例〉，對圖書的入藏、典守、登錄、分類及典守人員的資格等，都有明確的規定。以「靈隱書藏」的〈書藏條例〉來說，共九條：

一、送書入藏者，寺僧轉給一收到字票。

一、書不分部，惟以次第分號，收滿「鷲」字號廚，再收「嶺」字號廚。

一、印鈐書面暨書首葉，每本皆然。

一、每書或寫書腦，或掛綿紙籤，以便查檢。

一、守藏僧二人，由鹽運司月給香鐙銀六兩。其送書來者，或給以錢，則積之以為修書增廚之用，不給勿索。

一、書既入藏，不許復出，縱有繙閱之人，但在閣中，毋出閣門。寺僧有鬻借霉亂者，外人有攜竊塗損者，皆究之。

一、印內及簿內部字之上，分經、史、子、集填注之，疑者闕之。

一、唐人詩內複「對」「天」二字，將來編為「後對」「後天」二字。

一、守藏僧如出缺，由方丈秉公舉明靜謹細、知文字之僧充補之。

這段文字，今載阮元的《揅經室三集》一書裡，已經具有近代圖書館的科學化管理精神。

阮元另一值得稱讚的，是他擔任浙江學政及巡撫時，蒐訪了不少祕笈，於是選出《四庫全書》所未收或版刻不同、卷數不同的珍籍一百七十餘種，進呈內府。嘉慶皇帝特地把這批圖書命名爲《宛委別藏》，存放在「養心殿」。「宛委」也稱「石匱山」，在浙江紹興東南，相傳夏禹在那裡獲得金簡玉字之書。嘉慶皇帝把這批書命名《宛委別藏》，足見十分珍貴。這批書現藏臺北的國立故宮博物院。

阮元的藏書章很多，常見的有「隋文選樓之印」、「文選樓」、「節性齋」、「癸巳」、「石墨書樓」、「雷塘盦主」、「亮功錫祜」、「體仁閣大學士」、「家住揚州文選樓隋曹憲故里」、「泰華雙碑之館」、「五雲多處是三台」、「揚州阮伯元藏書處」、「琅嬛仙館藏金石處」、「積古齋藏研處」、「譜研齋著書處」、「揅經室」等。另有「闕里阮孔經樓」、「孔子七十三代長孫女」二印，是阮元繼室孔夫人的藏書印。孔夫人是孔子的後代，世號「經樓夫人」，著有《唐宋舊經樓稿》。又有「阮劉書之」、「靜春居士」二印。劉書之，號「靜春居士」，是阮元的侍姬。阮元曾作〈題書之靜春居圖卷〉、〈暖房示書之〉等詩，可見劉氏善書畫，甚得阮元寵愛。

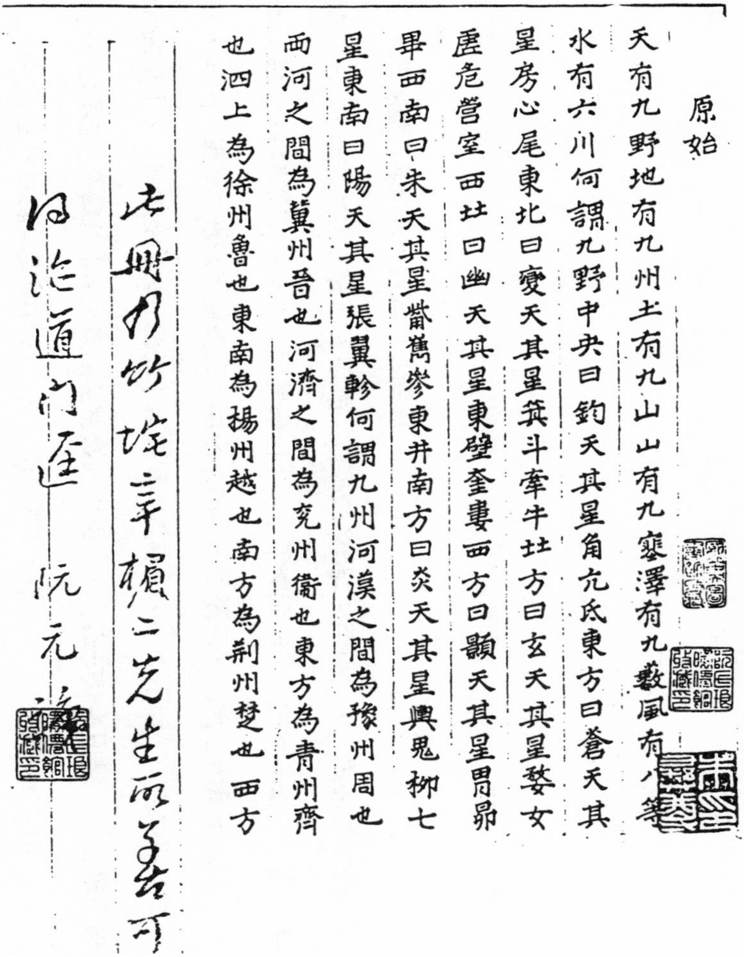
原始

天有九野地有九州土有九山山有九塞澤有九藪風有八等

水有六川何謂九野中央曰鈞天其星角亢氐東方曰蒼天其

星房心尾東北曰變天其星箕斗牽牛北方曰玄天其星婺女

虛危營室西北曰幽天其星東壁奎婁西方曰顥天其星胃昴

畢西南曰朱天其星觜巂參東井南方曰炎天其星輿鬼柳七

星東南曰陽天其星張翼軫何謂九州河漢之間為豫州周也

兩河之間為冀州晉也河濟之間為兗州衛也東方為青州齊

也泗上為徐州魯也東南為揚州越也南方為荊州楚也西方

此冊乃竹垞手稿二先生所著書可

以證道門匯 阮元

〈說明文字〉這是明代人所寫的《藝林咀華》，鈐有阮元的藏書印和他所寫的題記。

以校書爲樂的顧廣圻

顧廣圻（西元一七六六年——一八三五年），字千里，號澗蘋（也寫作澗苹或鑒平），又號無悶子、一雲散人。江蘇元和（今屬江蘇蘇州）人。平生不爲科舉而讀書，年三十，才補爲縣諸生。後來師事文字學家江聲，於是精通文字學和經學。他不但喜歡藏書，更勤於校書。北齊時有位才子叫邢邵，博聞彊記，過目不忘，有次看到人校書，就笑著說：「何愚之甚！天下書到死讀不可遍，焉能始復校此。且誤書思之，更是一適。」邢氏雖不校書，但是視思誤書爲一樂，這是由於他才智過人之故。顧千里自以爲才華不如邢邵，所以勤於校書，校書的原則是「以不校校之」，「不校」是說如果沒有可信的證據，絕不隨便改書，以免把本來沒有錯誤的古書，因自己的主觀反而改錯了；「校之」是說如果改一個字，一定要能說出古書錯字造成的原因。這是對古書負責的態度。校書的過程，則希望

「唯無自欺，亦無書欺」；校書的目的，則希望所有古書「存其眞面，以傳來茲。」顧氏因爲仰慕邢邵，所以把書樓取名爲「思適齋」，自號爲「思適居士」。

顧氏嗜書如命，尤其於宋版書，所費不貲。有一次看上了宋代刊刻的《鑑誡錄》，全書只有五十七頁，另有題跋一頁，書估叫價三十兩白銀。經討價還價，以洋錢三十三圓成交，平均每頁值四錢六分，這在當時可以說是「天價」。事後，他對好友黃丕烈說：「宋刻書之貴，可云貴甚！而余好宋刻書之癡，可云癡絕矣。」

中國的古書，由於一再傳抄或傳刻，錯字不少。這些錯字，如果錯在虛字，一看便知，尚不致影響文義。但是有時錯在一些要緊的地方，就不得其解了。

顧炎武在《日知錄》裡，記述了一則錯字的故事：宋代著名的女詞人李清照的丈夫趙明誠，把家中所藏的古代銅器和石刻，寫成了《金石錄》一書，李清照寫了一篇〈後序〉，所署的日期是「紹興二年玄黓壯月朔甲寅」。根據我國今存最早的一部辭典《爾雅》的說法：「太歲在壬曰玄黓」，紹興二年是「壬子」，所以可以寫爲「玄黓」。《爾雅》裡也把每個月給了一個別名：正月爲「陬」，二月爲「如」，三月爲「病」，四月爲「余」，五月爲「皋」，六月爲「且」，七月爲「相」，八月爲「壯」，九月爲「玄」，十月爲「陽」，十一月爲「辜」，十二月爲「涂」。明代有人抄寫《金石錄》，由於不懂「壯月」就是八月，擅自改爲「牡丹」，一時傳爲笑談。

又如中國早期重要的地理學名著《水經注》，現在一般所流傳在外面的是明代的刊本，例如明代嘉靖十三年（西元一五三四年）吳郡黃省曾刊本及明代萬曆十三年（西元一五八五年）新安吳琯刊本。但是這些明代的刊本，錯字很多。清代戴震用《永樂大典》裡的《水經注》，校勘明刊《水經注》，結果除了改正明刊《水經注》裡把「經」和「注」混淆的情形外，並且補正了明刊本脫漏的字共二千一百二十八字，又把明刊本妄增的一千四百四十八字刪除，還有明朝人因爲有不懂《水經注》而亂改的字則有三千七百一十五字，也一一加以改正，恢復原來的面目。全書錯誤總共多達七千二百九十一字。試想，如果依照錯字處處的明刊本《水經注》去探尋中國的河流，一定會迷路失蹤的！

古書錯字既多，校勘就顯得重要了。但是從事校勘，需要廣博的知識，舉凡文字、聲韻、訓詁、典章制度，上窮天文，下極地理，都要淹通。就以「避諱」一項來說，清代康熙皇帝名叫「玄燁」，所以當時古書上所有的「玄」「燁」二字或偏旁相同的字，都要更改。例如把「鄭玄」改爲「鄭元」，把「范曄」改稱「范蔚宗」，把「玄武門」改名「神武門」。顧千里把辛苦的校勘工作視爲樂事，足見他不僅學問好，而且有恆心和毅力。

顧氏由於精校勘，所以晚年時被孫星衍、張敦仁、胡克家、黃丕烈等人延聘爲他們校書。他所校的書甚多，重要的有《說文解字》、《儀禮》、《禮記》、《國語》、《戰國策》、《荀子》、《韓非子》、《昭明文選》等書。他把校書、刻書的序跋輯爲《思適齋集》（十八卷）一書。民國二十四年（西元一九三五年），王大隆又將《思適齋集》未收的題記，輯爲《思適齋書跋》（四卷）一書。

顧氏卒後，他的好友李兆洛爲他寫墓誌銘時，稱讚他：「凡立言者，藉君不朽。書有時朽，先生不朽。」光緒間的葉昌熾，用一首詩來綜括顧氏的一生，詩是這樣的：「不校校書比校勤，几塵風葉掃繽紛；誤書細勘原無誤，安得陳編盡屬君。」日本學者神田喜一郎也譽他爲「清代校勘第一人。」可見藏書家的貢獻，不止於保存文物而已。

顧氏的藏書章，常見者有「一雲散人」、「陳黃門侍郎三十五代孫」二印。這裡所指的「陳黃門侍郎」，就是南北朝時的著名學者「顧野王」。野王（西元五一九年—五八一年），字希馮，七歲讀五經，略知大旨，九歲就能寫文章，博通經史，天文、地理、筮龜、占候、蟲篆奇字，無所不通，與王褒齊名，時稱二絕，官做到黃門侍郎，著有《玉篇》、《輿地志》、《分野樞要》等書。

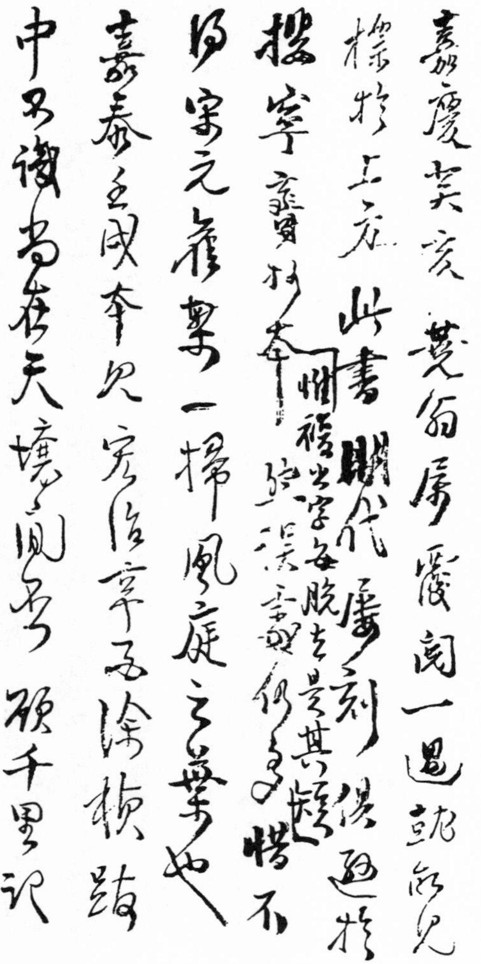

〈說明文字〉這是顧廣圻在士禮居抄本《鹽鐵論》一書上所寫的跋，說明他校勘該書的經過。

圖書與金石兼富的「鐵琴銅劍樓」

「鐵琴銅劍樓」，是清代末年江蘇常熟菰里（也寫作古里）村瞿家的藏書樓。瞿家的藏書，始自瞿紹基。紹基（西元一七七二年－一八三六年），字厚培，號蔭堂。廩貢生，以明經選授廣文，但不久就歸隱，以讀書藏書爲樂。當時常熟的著名藏書家，有陳揆（西元一七八〇年－一八二五年）的「稽瑞樓」和張金吾（西元一七八七年－一八二九年）的「愛日精廬」。陳、張二氏的藏書後來散出，瞿紹基買得了一部分，再加上自己平日搜購的圖書、金石、碑板，多達十餘萬卷，建「恬裕齋」貯藏，這是瞿家藏書的開始。

紹基去世後，其子瞿鏞繼承父志，益加努力搜購圖書。鏞，字子雍，貢生，做過寶山縣學訓導，後來辭官歸里，專心讀書、購書。他在先人既有的基礎上，繼續充實，到了光緒年間，由於迴避光緒皇帝「載湉」的名諱，把「恬裕齋」改爲「敦裕齋」。後來因購得古鐵琴和古銅劍，又改稱「鐵琴銅劍樓」。瞿鏞的「鐵琴銅劍樓」，不但藏書多，而且不少精善的刊本，當時在江南，首屈一指，無人能超過他，人們把它和山東聊城楊以增的「海源閣」並稱，因此有「南瞿北楊」之稱。

瞿鏞有五子：瞿潤、瞿秉淵、瞿秉沂、瞿秉清、瞿秉沖。五人均能讀書、藏書。潤、秉淵、秉沖無後，秉清生有三子：啓文、啓科、啓甲，分別出嗣爲瞿潤、秉淵、秉沖之後。其中啓甲最能讀書，繼承祖志。啓甲（西元一八七三年—一九四〇年），字良士，別號鐵琴道人。在清末，他的官職是「安徽補用同知」，民國以後，曾任江蘇省民政署主計科長，並獲選爲衆議院議員，後因拒絕曹錕賄選而辭去議員歸里。

啓甲除了自己藏書外，並在家鄉創辦了「常熟公共圖書館」，同時，爲了使自己的藏書公諸於世，把祖父瞿鏞所編的《鐵琴銅劍樓藏書目錄》（二十四卷）刊印行世。這部目錄共著錄圖書一千一百九十四種，二萬六千二百六十多卷，其中有宋刊本一百七十三種，金刊本四種，元刊本一百八十四種，明刊本二百七十五種，校本六十一種，抄本四百九十種，其他七種。每一部書都說明作者的生平及流傳的版刻，十分有學術價值。

一般的藏書家，多數不輕易把藏書供人閱讀，所以有句諺語說：「借書而與之，借人書而歸之，二者皆痴也。」不過，瞿氏數代，不僅將藏書供人借閱，有些遠道來的人，還招待食宿，每餐「五燴一湯」。像黃廷鑑、翁同龢、葉德輝、張元濟、傅增湘、胡適及日本學者島田翰等，都曾到「鐵琴銅劍樓」看過書，這種大公無私的精神，令人敬佩。

「鐵琴銅劍樓」目前還存。門臨清流，綠楊環列，環境優美。當年瞿鏞曾寫過〈望江南詞〉四闋，對當地一年四季的景色有很生動的描述。這四闋詞是：

「吾廬愛，占得好春光，繞岸一灣谿水綠，當門十里菜花黃，垂柳又垂楊。」

「吾廬愛，熟客浸相過，門外乘涼煙艇聚，水邊入夜釣竿多，斷續聽漁歌。」

「吾廬愛，烟景入秋清，吹到稻香風細細，浸殘桂影水盈盈，花月十分羸。」

「吾廬愛，黃葉又圍村，積雪有時看大地，初陽清早照衡門，室亦可名溫。」

至於「鐵琴銅劍樓」內部的佈置，根據大陸學者陳從周的敘述，樓分四進：第一進爲門屋，第二進爲花廳迎賓之處，第三、四進樓上藏書，第三進樓下爲讀書處，第四進樓下則爲陳列古物、金石的地方。目前第一、二進已燬壞。

瞿氏的藏書，到了民國以後，陸續散出。民國十九年，傳說日本三井集團擬以百萬元購瞿氏藏書，後經教育部及江蘇省政府表示關切，終未成事實。民國二十六年，抗日戰爭爆發，啓甲擔心藏書燬於戰火，秘密把書運往上海。大陸淪陷後，在共產制度下，私人不得有任何財產，私人藏書亦所不許，瞿氏藏書被迫悉數捐出，現在大部分存於北京國立北京圖書館。

瞿氏的藏書章很多，常見的有：「恬裕齋鏡之氏珍藏」、「紹基秘笈」、「虞山瞿紹基藏書之印」、「鐵琴銅劍樓」、「鐵琴銅劍樓收藏書畫記」、「瞿氏鑒藏金石記」、「古里瞿氏」、「古里瞿氏記」、「菰里瞿鏞」、「子雍金石」、「瞿潤印」、「瞿秉淵印」、「瞿秉沂印」、「瞿秉清印」、「瞿秉沖印」、「瞿啓文印」、「瞿啓科印」、「瞿啓甲印」、「瞿啓甲」、「良士」、「良士珍藏」、「良士昭福」等。從這些鈐印中，可見瞿氏的書，從紹基到啓甲，共流傳了四代，誠屬不易。

〈說明文字〉「鐵琴銅劍樓」外貌。

不私秘珍藏的張金吾

歷代藏書家裡，能不私秘珍藏，供諸同好的並不多，張金吾是其中最特出的一位。

張金吾（西元一七八七年—一八二九年），字慎旃，號月霄，江蘇常熟縣人。常熟文風很盛，出了不少藏書家，像明代的毛晉、清代的孫從添等，都是極負盛名的藏書家。張金吾的先世，已有不少藏書。祖父張仁濟，字敬堂，號納齋，藏有萬卷圖書，其中不少是宋元舊刻，著有《納齋存稿》。父親張光基，字南友，號靜谷，有藏書樓「照曠閣」，藏書益富。金吾的叔父張海鵬，字若雲，號子瑜，有一座「借月山房」，藏有數萬卷珍本。金吾的藏書則多達八萬餘卷，分別庋放在「詒經堂」、「詩史閣」、「求舊書莊」和「愛日精廬」等四個地方。其中除了經部的書外，蒐羅了不少金、元兩朝人的著作，是他的藏書特色。

在張金吾的幾個藏書室名中，他最喜歡「愛日精廬」這個室名，他的藏書志，也以它爲名。「愛日」二字，出自漢代著名學者揚雄的《法言》一書。《法言·孝至篇》說：「事父母自知不足者，其舜乎！不可得而久者，事親之謂也。孝子愛日。」這句話的意思是，子女奉養父母的日子有限，所以做子女要愛惜能奉養父母的時日，每天、每個時刻都要把孝順放在心上。原來張金吾的父親早年去世，都靠叔父養育。長大後對父親的懷念日甚一日，卻沒有機會奉養父親，所以爲書齋取名「愛日精廬」。

金吾的叔父張海鵬，不僅藏書，且以刻書傳世爲己任。他常告訴友人說：「藏書不如讀書，讀書不如刻書。讀書祇以爲己，刻書可以澤人。上以壽作者之精神，下以惠後來之沾溉。」先後以家藏爲基礎，益以他家藏書，刊刻了《學津討源》、《借月山房彙鈔》及《墨海金壺》等叢書。

所謂《叢書》，就是把各種不同的書，彙聚爲一編，一方面方便學者查檢資料，一方面可以保存文獻。海鵬刊刻這些叢書時，都請金吾協助校勘。由於金吾學問好，所以這些叢書，都能受士林所重視。

《學津討源》共收書一九二種，以毛晉的《汲古閣津逮祕書》爲基礎，而有所損益，取《新論・序》「道象之妙，非言不津。津言之妙，非學不傳」之意爲名，可見所收書對治學之功用。《借月山房彙鈔》收書一三五種，專收明清兩朝的著作。《墨海金壺》收書一一五種，四部之書都有。爲什麼取名《墨海金壺》呢？這是取材自前秦王嘉（字子年）所寫《拾遺記》所載的一段傳說。相傳「周時浮提之國獻神通善書者二人，肘間出金壺，中有墨汁如漆，灑之著物，皆成篆隸科斗之字。」海鵬取這個傳說名書，無非是想以這些圖書，傳遍華嚴世界，足見其用心之良苦。

金吾除了藏書富，協助叔父刊書外，也勤於著述。他在《愛日精廬藏書志》〈自序〉裡談到他讀書的態度，他說：「藏書而不知讀書，猶弗藏也；讀書而不知研精覃思，隨性分所近，成專門絕業，猶弗讀也。」他同時也談到他治學的過程：「少學爲詩，稍長讀書『照曠閣』，與校《太平御覽》諸書，爲校讎之學者有年；其後，泛濫六籍，爲考證之學者有年；又其後，究心經術，尊漢學，申古義，爲聲音、訓詁之學者有年；繼而講求古籍，考核源流，則雜以簿錄之學；纂輯經說，采輯金文，則雜以彙萃之學。」在這種正確的讀書態度及完整的治學歷程的陶鑄下，他的著述，所涉範圍甚廣，著有《兩漢五經博士考》、《廣釋名》、《言舊錄》、《金文最》、《十七史經說》、《詒經堂續經解》、《愛日精廬藏書志》等書。其中《愛日精廬藏書志》一書，是就他所藏圖書中，選擇宋元舊刻及抄本七百六十五部，著錄成書。每一部書，先列版本，其次輯錄各家文集、《經義考》、《小學考》、《全唐文》等書中所載有關序跋及其他學者相關的題記等，再就原書加以考證並匯輯所得，撰寫解題。這種著錄圖書的體例，十分完善，爲後代藏書目錄所倣效。

一般藏書家，都把珍藏視爲禁臠，不輕易示人。而張金吾則樂於借人，公諸同好。他有一個也是藏書家的好友陳揆（西元一七八〇年—一八二五年），兩人所居，相去不及半里，時相往來，圖書也互通有無，交情很好。但是張氏於任何人，有求必應，絕不藏私，而陳氏則除了張氏外，每每獨賞珍祕，不輕易示人。另一友人黃廷鑑、曾勸金吾不可隨便把珍藏借人，以免別人得來太易，不知珍惜，可是金吾始終不改其樂與人共享珍秘的作風，這種胸襟，大概是他有異於一般藏書家，能成爲一個大學者的原因吧！

張金吾的藏書章，有「張金吾印」、「月霄」、「張月霄印」、「愛日精廬藏書」、「虞山張氏」、「張金吾藏」、「張氏圖籍」等。

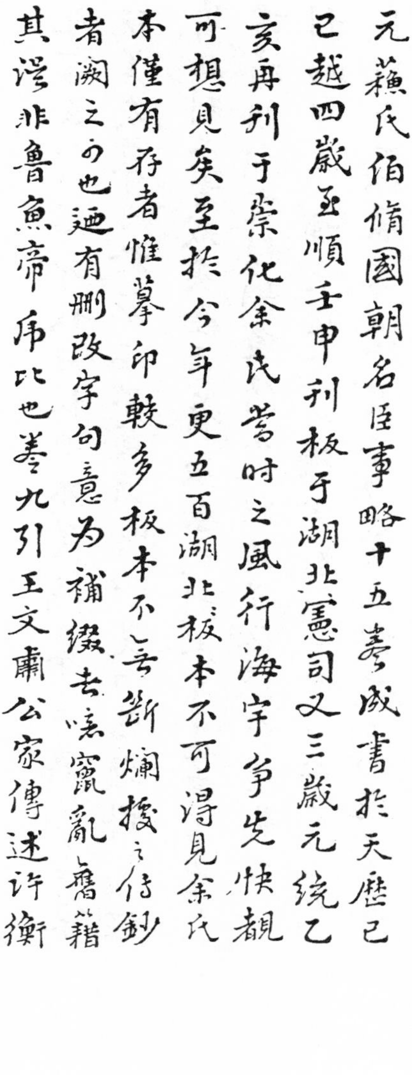
元蘇氏伯脩國朝名臣事略十五卷成書於天歷己
巳越四歲至順壬申刊板于湖北憲司又三歲元統乙
亥再刊于崇化余氏當时之風行海宇爭先快覩
可想見矣至於今年更五百湖北板本不可得見余氏
本僅有存者惟摹印較多板本不無斷爛援之傳鈔
者閲之可也迺有刪改字句意為補綴益(?)滋(?)竄亂舊籍
其謬(?)非魯魚帝虎比也卷九引王文肅公家傳述許衡

之言云人以孫印板孫板本不差雖摹千萬紙不差本既差矣摹之於紙無不差者嗚呼是可為踵謬襲誤苟且刻木者戒矣金吾舊藏余氏刊本首尾完善字畫清朗間有糢糊處倩友人程君某依淡生堂影寫元刊初印本補之家芙川從余影寫一本即此本也行款點畫一依原書毫髮不少異且詳校三四通十五卷無一誤字可謂慎之又慎者視流俗鈔帙不可同日語矣予家藏書旋遭豪奪原書不知存落何所芙川此本不益珍貴哉道光元年之秋後三日張金吾書于愛日精廬之南窗

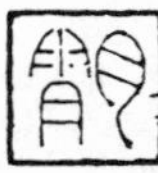

〈說明文字〉　這是張金吾在元朝蘇天爵所著《國朝名臣事略》一書上所寫的題記。

「琉璃廠銜書鼠」莫友芝

江浙一帶，人文薈萃，所以歷代藏書家，都聚居於此。本書所談藏書家，除楊守敬、翁方綱等少數外，多屬江浙人士。現在所要談的，則是我國邊陲貴州省的藏書家莫友芝。

莫友芝（西元一八一一年—一八七二年），字子偲，別號郘亭、紫泉，晚年又號眲叟，世居江南之上元，明代弘治年間，其遠祖從征貴州都勻苗，遂留居都勻。到了高祖雲衢，又遷居獨山州，自此成為獨山人。他的父親莫與儔，是貴州著名的學者，著名的經學家鄭珍（字子尹），就曾受學於莫與儔。友芝排行第五，所以朋友都稱他為「莫五」。

他為什麼自號「郘亭」呢？「郘」，是貴州遵義府鼈縣的一個亭子。清道光十八年（西元一八三八年），莫與儔正擔任遵義府教授，友芝也住在遵義，遵義知府知道友芝學問好，於是聘他和鄭珍共同纂修《遵義府志》。這部府志，對當地重要的山水名勝，都做了詳細的考索，但卻漏收了「郘亭」，於是自號「郘亭」，以志過失。可見友芝對撰述的認眞及自省的功夫。「紫泉」，則是貴州省獨山州的一所書院名稱，這所書院，設於清代初年，友芝以之爲別號，早年也曾以「紫香」爲別號，都是表示對家鄉的懷念。「眲叟」是他晚年的號。「眲」字，中國最早的字典《說文解字》未收，《廣韻》、《集韻》才收這個字。《列子》（卷二）〈黃帝篇〉：「商丘開先窘於飢寒，潛於牖北聽之，因假糧荷畚之子華之門，子華之門徒，皆世族也，縞衣乘軒，緩步闊視，顧見商丘開年老力弱，面目黎黑，衣冠不檢，莫不眲之。」這是最早見到「眲」的地方。什麼是「眲」呢？西漢揚雄的《方言》一書說：「揚越之郊，凡人相侮以爲無知謂之眲。眲，耳目不相信也。」因此，眲是罵人「無知」的字眼，友芝晚號「眲叟」，可能是一種自謙，表示自已學問仍然不夠好，鼓勵自己要「活到老，學到老」。但也有人認爲友芝以「眲叟」自號，表示自己雖已年老，但仍耳聰目明，老當益壯。

友芝在道光七年（西元一八二七年）考取秀才，道光十一年（西元一八三一年）考取了舉人的第一名，也就是「解元」，那年才二十一歲，但是此後多次赴京參加會試，均未能考取進士。不過，他每次進京考試，都到琉璃廠蒐購了不少圖書，也在那兒認識了些學者，頗有收穫。

談到莫友芝在北京琉璃廠買書的情形，他的好友鄭珍有〈病中絕句二首〉之一詩形容說：「莫五璃廠回，又回璃廠路；似看銜書鼠，寂寂來復去。」（見《巢經巢詩集》卷四）。把友芝形容為「銜書鼠」，眞是恰當不過。有一回，友芝從京師考試落第回家後，也寫了一首〈初歸〉（見《郘亭詩鈔》卷四），詩云：

初歸事事都如客，抱裏嬌兒且未親；
補睡光陰迷早晚，洗塵尊俎累比鄰。
書囊乍解誇新富，磬室徐窺益舊貧；
慚愧草堂花竹子，野雲時鳥自冬春。

詩句「書囊乍解誇新富」，正足以說明他雖然落第，但卻購了不少圖書而欣慰的心情。

友芝由於屢試不第，只得在遵義湘川書院主講，收入微薄，生活困苦，但是仍不忘購書。鄭珍在〈寄望莫五〉（《巢經巢詩集》卷三）一詩裡說：「如何接君書，亦復窮爾爾，下無縫袴襦，上無奉甘旨。吾儕儻定窮，理也奈彼何。……依然滿篋書，隨渡烏盤水。攜手慰離索，一笑愁城圮。翻甕飽黃齏，冷尋紅葉寺；更當出祕籍，共讀梅花底。」鄭氏又有〈愁苦又一歲贈郘亭〉一詩，回憶他們共同進京參加禮部試的情形，詩云：「彼時吾與汝，凍面兩相隨；暮求飯店宿，朝食風棚糜。……艱辛四十傳，塵垢至京師。外極行路難，內極慈母悲；隨人攜柳籃，試罷精更疲。日日琉璃廠，爛紙縱所窺；熱愛不解就，嘲罵理亦宜。一朝敕放歸，火牌去若飛；載書出國門，麥苗綠正肥……。」儘管生活如此困苦，仍不忘蒐求圖書，其精神令人敬佩。

莫氏在琉璃廠訪書，還有一段奇遇，那就是認識了也常到琉璃廠的曾國藩。曾氏當時任翰林院侍講學士充會試同考官。曾氏得知友芝為貴州人而能有此博學，十分驚奇，訂為文字交。同治十年（西元一八七一年），友芝到揚州、興化等地訪書，由於過度勞累，次年不幸病發，死於舟中，曾國藩哀悼他的輓聯，上聯是：「京華一見更傾心，當年虎市橋頭，書肆訂交，早欽宿學；」下聯是：「江表十年常聚首，今日莫愁湖上，酒樽和淚，來弔詩人。」足見曾氏對他極爲推崇。

莫氏的讀書、藏書處叫「影山草堂」。這個室名，是他年少時自己取的。幼時，他住在獨山州北三十餘里的地方，讀書的處所，是一大片的竹林，隔著翁奇河，對岸是一座山，由於竹林茂密，只有在微風吹動，竹枝搖曳時，才可隱約看見青翠的山色，他想起晉代詩人謝朓的詩句「竹外山猶影」，很像讀書處的景色，於是就請示父親，把住處取名「影山草堂」。後來他遷居遵義，仍用這個室名。他曾經寫了〈草堂雜詩三首〉，以描述草堂的景色：

其一

僦得城隅半畝園，茅檐小巷似深村；
閒雲帶鳥常依樹，清月隨風直到門。
便買溪山終作案，得將妻子已稱尊；

床頭賸有重陽酒，判倒花前老瓦盆。

其二

西窗讀書清無鄰，東間坐眠還絶倫；
溪聲夜靜或到枕，雨餘山色更宜人。
朋來時有文字酌，秋過況絶蠅蠅嗔；
誰能老去且少事，便此市中堪守真。

其三

辛勤諸弟事芟培，一日荒蹊走百回；
但有雲山落吾手，何妨桑竹替人栽。
薔籬煮鶴增前感，蕉屋巢鳩喜舊開；
小住漫思明日事，百年官舍亦蒿萊。

可見他在這種清靜幽雅、有如畫作的環境中讀書晤友的快樂心情。

莫氏所藏的圖書，有不少珍本，其中《唐寫本說文木部殘帙》，是唐朝人的寫本，最爲珍貴，莫氏認爲「此千歲秘籍，徑須冠海內經籍傳本」，誠不爲過。

曾國藩也稱讚它為「瑰奇」的珍本秘籍。還有一件王獻之書寫的〈洛神賦〉十三行的拓本，鄭珍說這件拓本，是人間希有的寶物。莫氏把所親眼見到的善本，寫成《宋元舊本經眼錄》和《郘亭知見傳本書目》，從這二書裡，也大致可看出他蒐藏的豐富。

他的藏書章有：「莫友芝」、「子偲」、「莫印友芝」、「莫氏子偲」、「莫友芝圖書印」、「郘亭長」、「莫氏秘笈之印」、「獨山莫氏銅井文防藏書印」、「則心弟五」、「獨山莫氏藏書」等。

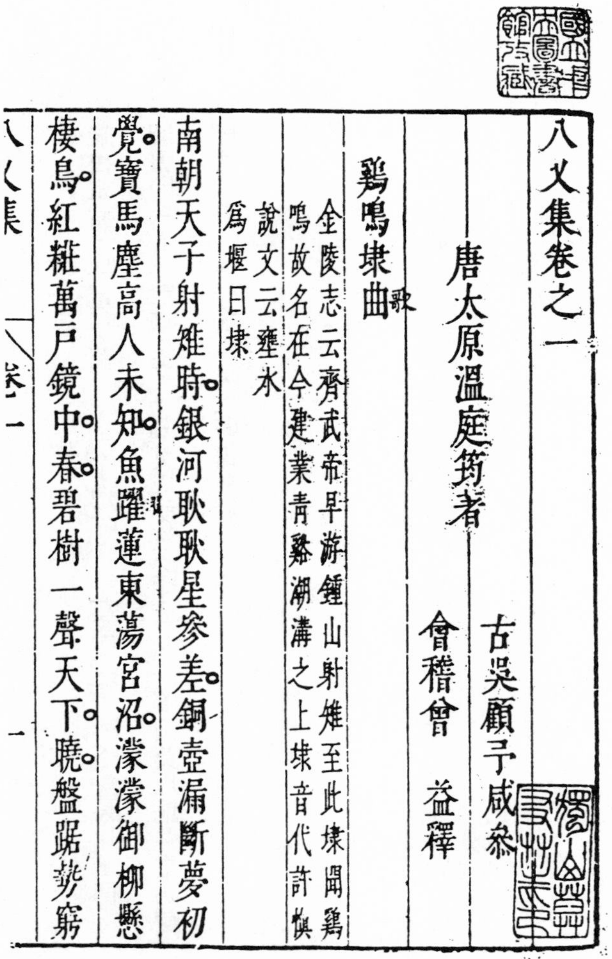
八义集卷之一
唐太原溫庭筠著
古吳顧予咸叅
會稽曾益釋
雞鳴埭曲歌
金陵志云齊武帝早游鍾山射雉至此埭聞雞
鳴故名在今建業青谿湖溝之上埭音代許慎
說文云壅水
爲堰曰埭
南朝天子射雉時。銀河耿耿星參差。銅壺漏斷夢初
覺。寶馬塵高人未知。魚躍蓮東蕩宮沼。濛濛御柳懸
棲鳥。紅糚萬戶鏡中春。碧樹一聲天下曉。盤踞勢窮
八义集　卷一　一

〈說明文字〉這是莫友芝手校的明末刊本《八义集》（唐溫庭筠撰），並且鈐有莫氏的藏書章。

血寫「南無阿彌陀佛」護書的張蓉鏡

我們常聽說有人用血寫誓言或絕筆書的；也有用血抄寫佛經的，那就是在唐代咸通年間，西川有個法進和尚，在教化寺弘揚佛法時，當衆刺血抄寫佛經，以示虔誠。而清代的張蓉鏡，則是在書葉裡用鮮血書寫「南無阿彌陀佛」，以祈求珍本得以千年流傳，可說是獨樹一幟的藏書家。

張蓉鏡，字芙川，清道光（西元一八二一年—一八五〇年）年間江蘇蘇州府昭文縣人。祖父張應曾，字若谷，當過蒲江知縣，藏書頗富，曾獲得明代沐昻所編《滄海遺珠集》，士林爭相傳抄。父親張燮（西元一七五三年—一八〇八年），字子和，考取乾隆五十八年（西元一七九三年）進士，曾官刑部員外郎。自奉甚儉，但買起書來，則不計所費。常和好友，當時的著名藏書家黃丕烈到琉璃廠蒐訪秘笈，當時人稱他們兩人爲「兩書淫」。張燮曾送一部影宋本《永嘉四靈詩》

（四卷）給黃丕烈，黃氏在書裡寫了一則題記，敘述他們的友誼，談到他們爲書而相知的快樂說：「余與子和相知以同年，其相得則彼此藏書，故猶憶癸丑同上春官，邸寓各近琉璃廠，每於暇日即徧遊書肆，恣覽古籍，一時有『兩書淫』之目。既而子和即於是科得翰林，散館改部，余下第歸，連丁內外艱，杜門不出，與子和蹤跡殊疏，然彼此書札往返，無不以賞奇析疑爲勗。」這種以愛書相知相勉的友誼，在書林裡，傳爲佳話。張燮的藏書樓叫「小瑯環福地」和「味經書屋」，藏書多達數萬卷。

傳到張蓉鏡，不僅能愼守父祖所藏，並且繼續充實。有一天，蓉鏡拿了一部影寫金本《蕭閒老人明秀集注》（三卷）到黃丕烈的「百宋一廛」共同鑑賞，黃丕烈以故人之子能守書，十分欣慰，一時高興，就在《明秀集》上題了八首詩。其一云：「琉璃廠裡兩書淫，蕘友蕘翁是素心；我羨小瑯環福地，子孫世守到于今。」這是懷念和張燮的友情。其二云：「作宦游仙事渺茫，故友零落感滄桑；傳家祖印分明在，添得新詩媲舊藏。」這詩裡有感傷，也有欣慰。其三云：「琴川好古有專家，秘笈儲藏富五車；一取蔡詞一顏訓，兩人勍敵互相誇。」這是說張燮舊藏金刻本蔡松年所撰《明秀集》和宋刻《續顏氏家訓》散出的經過。

張蓉鏡的妻子姚畹眞，號芙初女史，也喜歡藏書，並且精於鑒賞。道光年間，他們夫婦向好友黃丕烈購得一部宋代詩人劉克莊的詩集《後村先生詩集大全》宋刻殘本。這部詩集本來是一百九十六卷，當時僅殘存十一卷，但由於爲宋代刊本，被視爲人間至寶。這部書經過明代項元汴、清代季振宜、黃丕烈等多位名家遞藏，最後才歸張蓉鏡夫婦所有。姚畹眞感於祕笈之聚散無常，撫卷慨然，在空葉裡題了四首詩。其一云：「一襟哀郢淚辛酸，詩思分明樂去官；無人可論南園事，留得丹心與後看。」其二云：「詞華哲匠蒙天獎，敕語珠璣題簡端；編集獨開分類格，古香猶是宋雕刊。」其三是：「墨林萬卷劫灰飛，古本流傳此絕希；八十詩翁高格調，伊川擊壤想依稀。」其四是：「潑茗薰香綉嬾拈，芸編珍重展瑤籤；好月明月原無主，自取猩紅小印鈐。」最後加上一段〈跋〉云：「道光戊子二月花朝，琴川女士姚畹眞芙初氏題跋，時年二十六歲。清寒淒雨，病榻淹纏，腕弱字劣，不計工拙也，無虛佳日而已。」可見姚氏不僅精鑒賞，其詩亦婉約有緻。

張蓉鏡最特殊的藏書習慣是常在空白書葉上，用鮮血寫「佛」字或「南無阿彌陀佛」，以祈求圖書不受災厄。清代同治年間的藏書家瞿鏞，曾購得宋刊本《伊川擊壤集》二十卷，是張蓉鏡的故物，其中有血寫的「南無阿彌陀佛」六字，並有張氏一段題記，云：「《擊壤集》，宋刻罕見，昔年由士禮居得三至六四卷，為季滄葦舊藏。此全部首尾完整，汪氏藝芸書舍散逸，乙巳十一月得之，愛不能釋，展讀三復，以血書佛字於空葉，惟願此書流傳永久，無水火蟲食之災，後之讀是書者，其知所珍貴也夫。」現在這部宋刊本已不知流落何所，無緣得見。不過，筆者特地在臺北的國家圖書館的善本書中，找到了一部明嘉靖十五年（西元一五三六年）的抄本《對客燕談》一書，其中就有張蓉鏡的血書「佛」字，右下方有三行張氏的題記，云：「道光己酉三月二十九日丁酉吉辰戌刻，展讀一過，以血書佛字於首頁保護，以免蛀厄。芙川蓉鏡誌。」十分珍貴。

張爕的藏書章有「虞山張氏」、「琴川張氏」、「清河伯子」、「蘿摩亭長」、「張氏圖籍」等。張蓉鏡的藏書章有「芙川鑑賞」、「曾藏張蓉鏡家」、「芙川張蓉鏡心賞」、「蓉鏡心賞」、「虞山張蓉鏡鑒藏」、「琴川張蓉鏡鑒賞眞蹟」、「虞山張蓉鏡鑒定宋刻善本」、「蓉鏡珍藏」、「小瑯環福地」、「小瑯環清秘張氏收藏」、「在處有神物護持」。姚畹眞的藏書章有「姚氏畹眞」、「芙初女史」。另外，蓉鏡字芙川，畹眞號芙初女史，所以他們夫婦共刻了一枚「雙芙閣」的藏章。

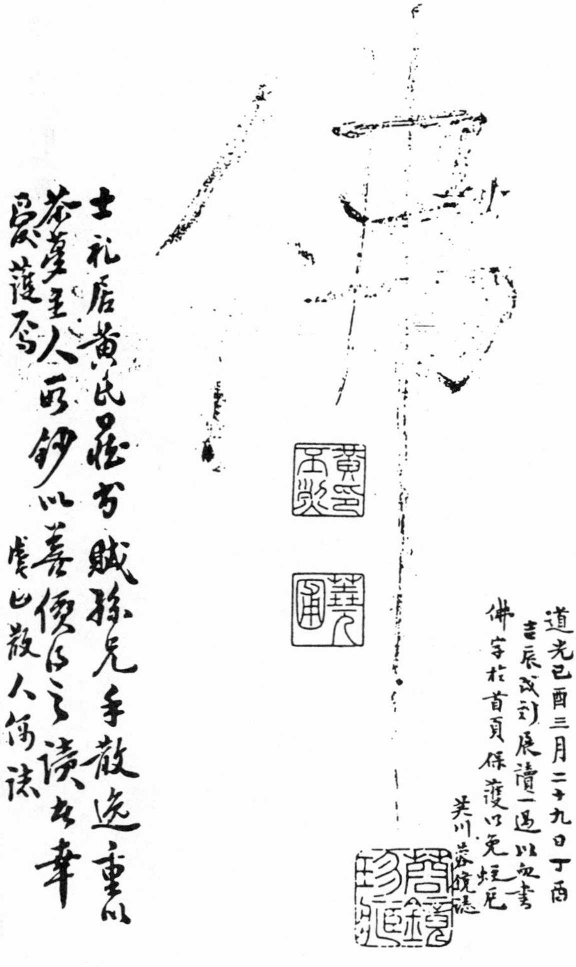

〈說明文字〉這是張蓉鏡在明抄本《對客燕談》（明代邵寶撰）一書上用血寫的「佛」字。

從廢紙堆裡繕補祕笈的丁丙

如果各位到過臺北市中山南路的國家圖書館，一定知道在四樓有間「善本書室」，專門提供讀者閱讀琳琅的善本書。

「善本書」一詞的由來已久。漢代時叫做「善書」（和佛教勸人爲善的「善書」爲同名異實），宋代才改稱「善本」。例如宋代的朱弁，在他的《曲洧舊聞》一書裡就說：「穆伯長好學古文，如得韓柳『善本』。」不過，宋代以前，從來沒有人對「善本」下過較明確的定義，大致認爲校勘精確，訛字較少的書，就是「善本」。

對「善本」賦予明確界說，並且用它做爲藏書樓名稱的，是清代光緒年間的藏書家丁丙。

丁丙（西元一八三三年—一八九九年），字嘉魚，別字松生，晚年自稱松存，清錢塘人。他有一兄叫丁申（西元？—西元一八八〇年），字禮林，號竹舟，也以藏書著稱，當時號稱「雙丁」。丁丙的祖父丁國典，字掌六，就已有很多藏書，並在杭州的梅東里建了藏書樓，掌六公感念北宋時先祖丁顗曾藏書八千卷，於是就請梁同書學士爲藏書樓題曰「八千卷樓」。丁丙的父親丁英，字洛耆，業商，雖是生意人，但勤於讀書，且喜藏書，常利用往來山東、山西、河北、湖南、湖北之間做生意的機會，順便蒐購圖書，每遇善本秘笈，則購載而歸。到了丁丙，藏書益富，於是加蓋了兩樓書樓，一棟叫「後八千卷樓」，一棟叫「小八千卷樓」。另外，又把藏書中的精品擇出，庋藏在「善本書室」裡。

庋藏在「善本書室」裡的「善本」，需符合下列四個條件：

一、是「舊刻」，指的是宋代和元代的刊本。

二、是「精刻」，指的是明代嘉靖以前刊刻的佳本。

三、是「舊鈔」，指經由名家抄寫或據宋代刊本影抄的本子。

四、是「舊校」，就是經名家精細校勘過的本子。

這四個條件，不僅爲「善本」立下明確的範圍，也成爲後代私人藏書及公共圖書館在決定「善本」與否的重要參考標準。

清代在乾隆年間，編輯了一部我國有史以來最大的一部叢書——《四庫全書》。這部《四庫全書》，同時抄寫了七部，分別貯放在紫禁城內主敬殿後的「文淵閣」、圓明園內的「文源閣」、熱河行宮避暑山莊的「文津閣」、遼寧瀋陽故宮的「文溯閣」、揚州的「文匯閣」、鎮江的「文宗閣」及杭州的「文瀾閣」。前四閣習慣上稱之爲「北四閣」，後三者稱之爲「南三閣」。「北四閣」的《四庫全書》，藏於「文淵閣」的部分，現在貯放在臺北的國立故宮博物院；藏於「文源閣」的部分，燬於英法聯軍之役；藏於「文津閣」和「文溯閣」的部分，現留在大陸地區，其中原藏「文溯閣」的部分，對日抗戰期間，曾淪入日本人手裡，是否仍完整，不得而知。至於「南三閣」部分，全部燬於太平軍之亂。

太平天國之亂時，丁丙逃到杭州西北的留下鎮避難。有一天，他到街上買物品，回來後，發現包裹物品的字紙，居然是「文瀾閣」《四庫全書》的書頁，大爲驚訝，於是到街上大肆蒐購那些用來包物品的「廢紙」，並加細心繕補，先後共得八千多册，約當原來全書的四分之一。

談起「文瀾閣」，它是「南三閣」之一，地點就在西湖旁邊，它原來是放置《古今圖書集成》的藏經閣，後來改建爲「文瀾閣」，所有的格式，均比照「文淵閣」。《文瀾閣志》引用《兩浙鹽法志》說：「閣在孤山之陽，左爲白堤，右爲西冷橋，地勢高敞，攬西湖全勝。外爲垂花門，門內爲大廳，廳後爲大池，池中一峰獨聳，名仙人峰。東爲御碑亭，西爲遊廊，中爲文瀾閣。閣建三成，第一成中藏《古今圖書集成》，後乃兩旁藏經部，第二成藏史部，第三成藏子集二部，皆分庋書格。凡《四庫全書》三萬五千九百九十册，爲匣六千一百九十一。《圖書集成》五千二十册，爲匣五百七十六。《總目考證》二百二十七册，爲匣四十。」這是「文瀾閣」的舊觀。

自從丁丙發現文瀾閣《四庫全書》的書頁並加以繕補，震驚全國，光緒六年（西元一八八〇年），巡撫譚鍾麟、布政使德馨，下令在舊址重建「文瀾閣」；光緒八年（西元一八八二年）五月，在東城講舍成立抄補《四庫全書》的單位，由丁丙主持，丁氏並推薦王同、張大昌、孫樹禮等人經理其事。抄補的工作極其艱辛，有一次，丁丙把蒐集到的「文瀾閣」殘編，從西溪運到歙浦，經過烏戌時，碰見匪徒，匪徒看見這些書都鈐有官府的圖章，於是要搶奪這些圖書，同行的人都心悸目瞪，丁氏則從容與匪徒交涉，終能化險爲夷，把這些殘編送到目的地。爲了儘量使《四庫全書》恢復原有的篇帙，丁氏除了提供自己的藏書請人抄補外，又到各地一一探索訪問著名的藏書家，並派人到各地抄補。所探訪的藏書家，有鄞郡范氏的「天一閣」、盧氏的「抱經樓」、錢塘汪氏的「振綺堂」、孫氏的「壽松堂」、海寧蔣氏的「別下齋」、山陰沈氏的「味經堂」、慈谿馮氏的「醉經閣」、長沙袁氏的「臥雪廬」、常熟瞿氏的「恬裕齋」、宣城李氏的「瞿硎石室」、錢塘吳氏之「清來堂」、仁和朱氏的「結一廬」、湖州陸氏的「皕宋樓」、金華胡氏的「退補齋」、豐順丁氏的「持靜齋」、南海孔氏的「三十有三萬卷堂」等，他都去過。這些藏書樓，有的在江浙一帶，還算方便，有的遠在安徽、廣東。譬如「三十有三萬卷堂」，在廣東南海，是著名藏書家孔廣陶的藏書樓。孔廣陶是孔子的第七十代孫，字鴻昌，號少唐，以經商致富，以巨資購藏圖書。他除了「三十有三萬卷堂」外，另有「岳雪樓」，他的藏書，與伍崇曜的「粵雅堂」、潘仕成的「海山仙館」及康有爲的「萬木草堂」，合稱「粵省四家」。借書抄繕的經過，也很繁瑣辛苦，「其間或函商需時，或祭告備禮，或酬以縑帛，或易以琅函，或裹糧而往，僦屋傭鈔，或航海而歸，頻年借補。」（見王同〈文瀾閣補書記〉）這種抄補工作先後進行了七年，共補抄了三萬四千多册，與原來閣藏三萬五千九百九十册相去不遠，可以說「文瀾閣」的藏書又得以恢復舊觀。光緒皇帝特地頒了詔書獎勵，譽其「嘉惠士林」，於是丁氏把所有的藏書樓，總名爲「嘉惠堂」。

丁丙一生藏書、抄補《四庫全書》，樂在其中，他在臨終時作了一首詩：「六十八年有此身，時和歲稔亦艱辛；分應獨善心兼善，家守清貧書不貧。是以眞誠對知己，從無仰面一求人；何如早返初來路，願被是風化作塵。」藏書家的胸懷，於此可見。丁氏著有《舞鏡集》、《讀禮私記》、《禮經集解》、《松夢寮初集》、《三塘餘唱》、《善本書室藏書志》、《武林掌故》等書。

他的藏書章很多，有以姓氏、別號、室齋爲名者，如「丁丙」、「丁松生」、「丁居士」、「松老」、「小令威」、「竹書室」、「東門菜儂」、「書庫抱殘生」、「風木盦」、「求己室」、「漢晉唐齋」、「錢塘丁丙校讀」、「彊圉涒灘」、「彊圉柔兆」。後面兩枚印章是誰呢？根據中國最早的一部詞典《爾雅・釋天》篇說：「太歲在甲曰閼逢，在乙曰旃蒙，在丙曰柔兆，在丁曰強圉，在戊曰著雍，在己曰屠維，在庚曰上章，在辛曰重光，在壬曰玄黓，在癸曰昭陽。」又說：「太歲在寅曰攝提格，在卯曰單閼，在辰曰執徐，在巳曰大荒落，在午曰敦牂，在未曰協洽，在申曰涒灘，在酉曰作噩，在戌曰閹茂，在亥曰大淵獻，在子曰困敦，在丑曰赤奮若。」因此，「彊圉涒灘」是「丁申」，「彊圉柔兆」是「丁丙」。有時候藏書章的印文是得書的年代，以為記識，如「辛酉劫後所得」、「泉唐丁氏竹舟申松生丙辛酉以後所得」、「光緒辛巳所得」、「光緒壬午年嘉惠堂所得」、「光緒庚寅嘉惠堂丁氏所得」、「光緒辛卯嘉惠堂得書」、「光緒壬辰錢塘嘉惠堂丁氏所藏」、「光緒癸巳泉唐嘉惠堂丁氏所得」、「光緒壬寅錢塘嘉惠堂丁氏所得」。其中「辛酉劫後所得」的「辛酉」，是指咸豐十一年（西元一八六一年），那年太平天國之亂平定。有時候則以庋藏的處所刻成藏書章，如「濟陽文府」、「善本書室」、「甘泉書藏」、「錢塘丁氏正修堂藏書」、「嘉惠堂藏閱書」。有一枚藏書章是「用之則行」，這句話出自《論語・述而》

篇，孔子對顏淵說：「用之則行，舍之則藏，唯我與爾有是夫。」丁氏用這句話刻成藏書章，是在勉勵自己不僅要獨善其身，還要能兼善天下。

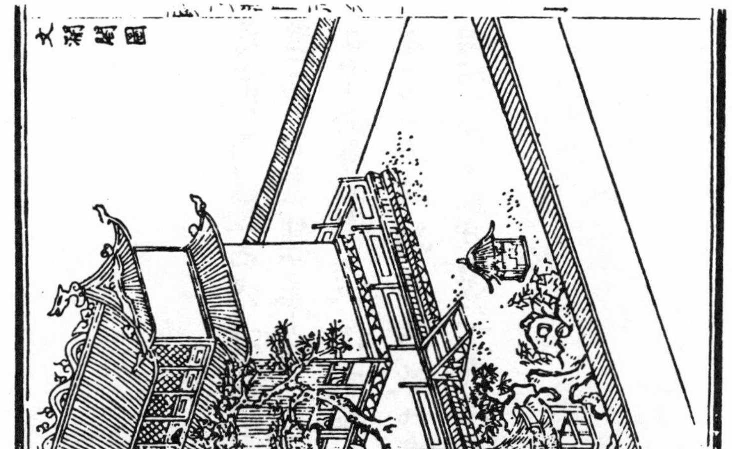

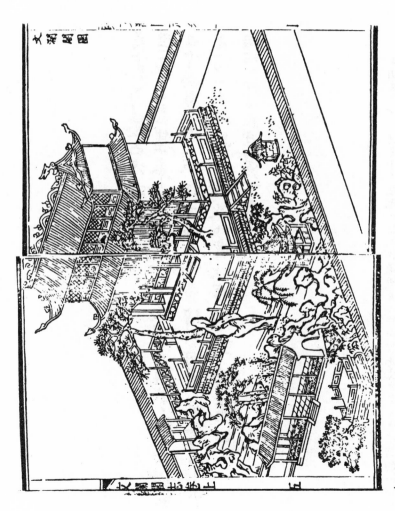

〈說明文字〉 這是庋藏《四庫全書》的七閣之一在杭州西湖旁的「文瀾閣」。

益齋翁鑒古耆書緣以
君家白雲集奉歸藏庋于焉揚 清芬衍 令緒也
白雲尚有四書叢説何夢華曾梓入何氏叢書中余
止有一本竢續得當效此書故事增充櫝檐也
同治丁卯甲辰月丙寅丁丙記

〈說明文字〉 這是丁丙在元代詩人許謙所著《許白雲先生文集》上所寫的一則題記。

「皕宋樓」主人陸心源

藏書家每以蒐求宋版書爲樂，這一方面是由於宋版書日漸罕有，另一方面則是多數宋版書鏤刊精美，錯字較少的緣故。所以清代乾隆年間的黃丕烈有「百宋一廛」，以炫耀藏有一百部宋版書。到了光緒年間的陸心源，則更進一步築了一棟「皕宋樓」而著稱於世。

陸心源（西元一八三四年－一八九四年），字剛甫（也寫作剛父、剛夫），一字潛園，號存齋，晚號潛園老人。浙江歸安（今吳興）人。考取咸豐九年（西元一八五九年）己未科舉人，歷官道員，福建鹽運使。任官期間革除惡弊，多有惠政。尤其重視文化事業，所至興義學，鼓勵讀書，修復「安定」、「愛山」等書院。陸氏頗有家財，無他嗜好，獨好藏書。他先後購得上海著名藏書家郁松年「宜稼堂」的藏書及與陸氏同時代另一藏書家周星貽的藏書。郁松年的藏書，得自汪士鐘、黃丕烈、錢謙益等著名藏書家，有不少罕見祕籍。經過十餘年的購買、傳抄，藏書多達十五萬卷，其中最引人注意的，就是近兩百部的宋版書，所以書齋取名為「皕宋樓」。「皕」，音ㄅㄧˋ，就是兩百的意思。不過，據近代藏書家葉德輝氏的說法，這兩百部宋板書，不少是元代刊本和明代刊本仿冒的，也有是經過修補的宋刊本。眞正的宋本，不到兩百部。

陸氏除了「皕宋樓」外，由於讀過顧炎武的《亭林遺書》，敬佩顧炎武的學問，所以有一座書室叫「儀顧堂」。又有一座「十萬卷樓」，專門收藏罕見的明代刊本。另外還有一座「守先閣」，則專門收藏較常見的明代以後的刊本及抄本。陸氏的「皕宋樓」，在當時與杭州丁丙的「善本書室」、常熟瞿紹基的「鐵琴銅劍樓」、山東聊城楊以增的「海源閣」，並稱海內四大藏書樓。我們現在從陸氏的《皕宋樓藏書志》，還可以想見當時蒐藏的美富。

陸氏的藏書，不僅以多著名，最可貴的是，他能把藏書公諸世人閱讀。他在光緒八年（西元一八八二年），把所藏舊刻舊抄一百五十種，計二千四百多卷的書，進送國子監。他的友人李宗蓮稱讚他「讀者不禁」，比起部分藏書家「封扃甚嚴，非子孫齊至，不開鎖」的私心，了不起多了。

可惜的是，陸心源去世後，家道中落，他的兒子陸樹藩有意賣書。當時日本人正爲大量古籍給楊守敬買走而後悔不已，一聽陸家有意賣書的消息，興奮極了。於是派人到中國慫恿陸氏賣書。陸樹藩先開價五十萬圓，後降價三十五萬圓，稍後又減至二十五萬圓，經過多次討價還價，終於在光緒三十二年（西元一九〇六年）四月，以十萬圓成交（一說十一萬八千圓），賣給了日本的岩崎氏。是年六月，陸氏「皕宋樓」、「十萬卷樓」、「守先閣」的書，船載東去。現在這批祕笈，成了日本「靜嘉堂文庫」的鎮庫之寶。我們翻閱厚厚的《靜嘉堂文庫漢籍分類目錄》，凡是書下注「皕」、「十」、「守」等字的書，都是陸氏的「皕宋樓」、「十萬卷樓」、「守先閣」的故物，這眞是我國書史上的一次浩劫。陸氏的書賣到了日本後，日本著名的漢學家島田翰（字彥楨）寫了一篇〈皕宋樓藏書源流考〉，文末得意的說：「昔遵義黎蒓齋駐節我邦，與宜都楊君惺吾購求古本，一時爲之都市一空。數窮必復，陸氏之書，雖缺其四庫附存本、道藏及明季野乘，不無遺憾，而予知今之所獲，倍蓰於昔日所失也，然則此舉也，雖曰於國有光可矣！」近代藏書家董康在〈刻皕宋樓藏書源流考題識〉中說：「陸氏藏書志所收，俱江浙諸名家舊本，古芬未墜，異域言歸，反不如臺城之炬，絳雲之燼，魂魄猶長守故都也，爲太息者累日。」王儀通〈皕宋樓藏書源流考題詞〉有兩首絕句，頗能道出當時知識分子的感傷。其一是：「三島於今有酉山，海濤東去待西還；愁聞白髮談天寶，望贖文姬返漢關。」其二是：「如海王城大隱深，遺經獨抱幾沈吟；白雲蒼狗看無定，難遣牆東避世心。」

陸氏的藏書章很多，常見的有：「陸心源印」、「陸印心源」、「心源長壽」、「吳興陸氏皕宋樓珍藏印」、「歸安陸心源字剛父印」、「存齋讀過」、「十萬卷樓」、「守先閣」、「存齋又稱潛園」、「存齋大利」、「皕宋樓」、「光緒戊子湖州陸心源捐送國子監之書匱藏南學」、「書淫」、「嶺南東道兵備使者」等。

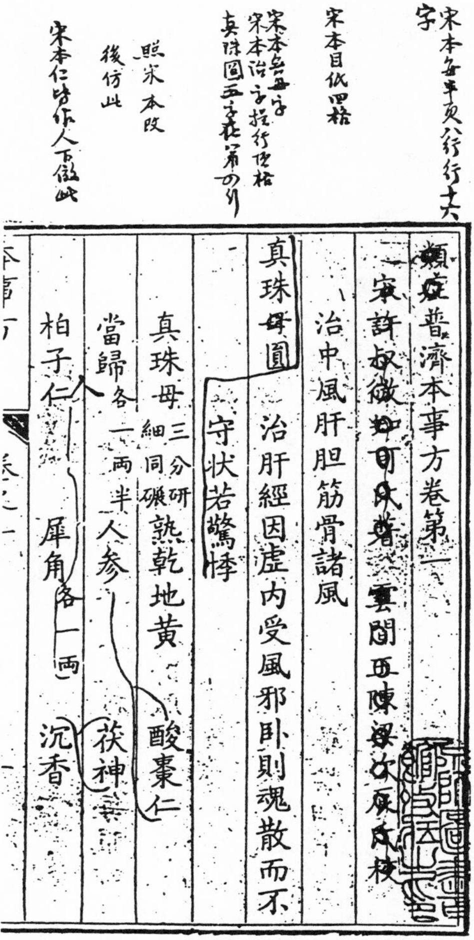
宋本每半頁八行行十六字
宋本目低四格
宋本無母字
宋本治字提行低格
真珠圓三字在第四行
照宋本改
後仿此
宋本仁皆作人下做此
類症普濟本事方卷第一
宋許叔微知可氏著　雲間西陳梁仲威校
治中風肝胆筋骨諸風
真珠母圓　治肝經因虛內受風邪卧則魂散而不
守狀若驚悸
真珠母三分研細同碾　熟乾地黄　酸棗仁
當歸各一兩半　人参　茯神
柏子仁　犀角各一兩　沉香

〈說明文字〉這是宋代許叔微撰的醫書《類症普濟本事方》，由陸心源手校，從校勘的情形，可見陸氏治學的嚴謹態度。

蒐羅域外古籍的楊守敬

在隋唐的時候，日本派了大批的使者、僧人和學者到中國，他們東歸時，都攜購了不少的中國圖書，漸漸的，日本各地都藏有豐富的中國古籍。

這些流落域外的古籍，不乏在中國已罕見，甚至在中國已失傳的，所以這些佚存海外的古書，一直是國人夢寐以求，亟思一睹的珍本。宋代的歐陽修，曾經寫了一首題爲〈日本刀歌〉的古詩，詩是這樣的：

昆夷道遠不復通，世傳切玉誰能窮；

寶刀近出日本國，越賈得之滄海東。

…………

徐福行時書未焚，《逸書》百篇今尚存；

令嚴不許傳中國，舉世無人識古文。

先王大典藏夷貊，蒼波浩蕩無通津；

令人感激坐流涕，鏽澀短刀何足云。

歐陽永叔借著一把寶刀重歸故土，而慨歎古書之流落異邦。可見歐公也多麼渴望圖書魂兮歸來。

清代的楊守敬，是第一個把流落在日本的古書，大量買回來的藏書家。

楊守敬（西元一八三九年—一九一五年），字惺吾，一作星吾，湖北宜都人。家世經商，四歲喪父，由母親教他讀書寫字。十四歲時，考取了秀才，二十四歲時，考取了舉人，擔任黃州府的教授，官舍和宋代蘇東坡的「雪堂」遺址鄰近，所以自號「鄰蘇」。考了幾次進士，都不幸落榜。光緒六年（西元一八八〇年），何如璋到日本出任中國第一位公使，楊守敬跟著去當祕書。由於歐陽修〈日本刀歌〉一詩的啓示，產生了在日本蒐羅「佚書」的念頭。所謂「佚書」，就是在中國已經見不到傳本，卻在海外還可以見到的書。那時正是日本明治維新的時候，一般人不太重視中國的古書，楊守敬每天一有空就到書肆閒逛，一見到中國的舊版書就買，不到一年，就買了三萬多卷。

楊守敬爲了能蒐得更多的古書，認識了一位日本醫生森立之。森立之，字立夫，是一位好古之士，曾和另一位日本醫生澁江全善（字道純）同撰《經籍訪古志》。森立之在該書的〈跋〉裡說：「與全善、海保元備、伊澤信道、堀川濟輩，每月一二次，預卜夜而會于綠汀。綠汀者，本所綠町多紀樂春院之別莊也。諸子環坐，披閱古本，爲之論定會。會後開宴，各乘醉而歸，二州橋上，踏月詠詩，此是三十年前之事。」這篇〈跋〉寫於日本明治十八年，相當於清光緒十一年，西元一八八五年，距現在已一百多年了，但是，他們好古的精神和飲酒賦詩的雅興，如在眼前，令人羨慕不已。楊守敬就根據《經籍訪古志》的記載，得以順利的購得大量的中國古籍。有些日本好古之士，不肯把家藏的古籍賣給楊守敬，楊守敬就以行篋中的古今石刻文字交換，由於日本人雅好石刻文字，所以頗有收穫。

談起楊氏在日本搜求古書，可以說是不惜代價，志在必得。有一次，他聽說大阪有人家藏宋刊本《尚書注疏》，他託人去洽購，由於價錢開得太高，多次不成交。直到楊氏回國前夕，念茲在茲，心有不甘，特地繞道大阪，用身上所有的錢把這部「海內孤本」買了過來。當時同事們都笑他「旣癖且痴」，可是他卻高興不已。這種愛惜文獻的精神，令人敬佩。

光緒七年（西元一八八一年），由黎庶昌接替何如璋出任第二任駐日本公使。庶昌字蒓齋，貴州遵義人。黎氏是一位古文家，學問淵博。到了日本後，聽說楊守敬蒐羅了不少古書，於是請楊守敬協助刊行《古逸叢書》。

根據黎氏在〈自序〉中的說法，由於書中所收的書，多數是「古本逸編」，「古本」是古代的本子，「逸編」就是在中國已經亡佚不傳的書，所以叫《古逸叢書》，由此也就可以看出這部叢書的價值和珍貴。

從光緒八年（西元一八八二年）起，到光緒十年（西元一八八四年）止，三年中共陸續刊印了二十六種古書，這些書包括：

一、《爾雅》三卷，晉郭璞注，據宋蜀大字本影刊。

二、《春秋穀梁傳》十二卷，晉范寧集解，據宋紹熙本影刊。

三、《論語》十卷，魏何晏集解，據日本正平本影刊。

四、《周易》六卷附《晦庵先生校正周易繫辭精義》二卷，宋程頤、呂祖謙撰，據元至正本影刊。

五、《孝經》一卷，唐玄宗注，據日本舊抄卷子本影刊。

六、《老子道德經》二卷，魏王弼注，據集唐宋本影刊。

七、《荀子》二十卷，周荀況撰，唐楊倞注，據宋台州本影刊。

八、《南華眞經注疏》十卷，晉郭象注，唐成玄英疏，據宋本影刊。

九、《楚辭集注》八卷《辯證》二卷《後語》六卷，宋朱熹撰，據元本影刊。

十、《尙書釋音》二卷，唐陸德明撰，據日本影抄宋大字本影刊。

十一、《玉篇》殘四卷，梁顧野王撰，據日本舊抄卷子本影刊。

十二、《廣韻》五卷，宋陳彭年等重修，據宋本影刊。

十三、《廣韻》五卷，據元泰定本影刊。

十四、《玉燭寶典》殘存十二卷，隋杜臺卿撰，據日本舊抄卷子本影刊。

十五、《文館詞林》殘存十四卷，唐許敬宗等撰，據日本舊抄卷子本影刊。

十六、《琱玉集》殘存二卷，據日本舊抄卷子本影刊。

十七、《姓解》三卷，宋邵思撰，據北宋本影刊。

十八、《韻鏡》一卷，據日本永祿本影刊。

十九、《日本國見在書目錄》一卷，日本藤原佐世撰，據日本舊抄卷子本影刊。

廿、《史略》六卷，宋高似孫撰，據宋本影刊。

廿一、《漢書食貨志》一卷，漢班固撰，唐顏師古注，據唐寫本影刊。

廿二、《急就篇》一卷，漢史游撰，據日本小島知足仿唐石經體寫本影刊。

廿三、《杜工部草堂詩箋》四十卷《外集》一卷《補遺》十卷《傳序碑銘》一卷《目錄》二卷《年譜》二卷《詩話》二卷，宋魯訔輯，宋蔡孟弼會箋，《補遺》黃鶴集注，據宋麻沙本影刊，《補遺》部分則是據高麗翻刻本影刊。

廿四、《碣石調幽蘭》一卷，陳丘公明撰，據日本舊抄卷子本影刊。

廿五、《天台山記》一卷，唐徐靈府撰，據日本舊抄卷子本影刊。

廿六、《太平寰宇記》殘存六卷，宋樂史撰，據宋本影刊。

在這些書中，像《琱玉集》、《天台山記》、《玉燭寶典》等，都是在中國早已不見傳本的珍貴祕笈。

光緒十年（西元一八八四年），楊氏歸國，在黃州（今黃岡）租屋數十間，取名「觀海堂」以藏書，所藏約有十萬卷。他不僅是個藏書家，也是個書法家和地理學家。晚年時，他曾靠鬻字自給，尤其是日本人，最喜歡買他的字，像廬山、漢陽歸元寺、東坡赤壁等地，均有他的墨迹和碑刻。他在地理方面的著作有《水經注圖》、《水經注疏》、《水經注要刪》、《歷代輿地沿革險要圖》等。其中《水經注疏》的稿本，現存臺北的國家圖書館。

楊氏於民國四年去世，他的後人把書售給政府，大部分的藏書，現在存放於臺北的故宮博物院。

他的藏書章有「星吾海外訪得祕笈」、「星吾在東瀛訪得祕笈」、「宜都楊氏藏書記」、「飛青閣藏書印」、「激素飛青閣藏書記」等。

〈說明文字〉楊守敬先生像。

典衣購書的繆荃孫

自來藏書家，各有其聚書之道：富者，足不出戶，自有書賈捆載而來；家無餘產的寒士，則只得到處乞書抄寫。清代光緒年間的繆荃孫，則是日日徘徊琉璃廠，在成堆的舊書中尋找祕笈，不惜典衣取書，終成一代藏書家。

繆荃孫（西元一八四四年—一九一九年），字炎之，一字筱珊，也作小珊，晚年榜所居曰「藝風堂」，因此自號「藝風老人」。江蘇省江陰縣人。光緒二年（西元一八七六年）考取進士，三年後，經過散館考試，授編修。在清代，二甲進士（第四名以下，三甲以上），經過三年讀書，通過「散館考試」的，授予翰林院編修。編修為七品官，主要的工作，是編纂文獻，工作不很繁重。餘暇，繆氏最大的樂趣，就是到海王村（琉璃廠）搜訪圖書。

現在北京城南的琉璃廠，本來的地名叫海王村。清代時，大肆擴建宮殿，需用各色琉璃瓦，於是在海王村建了很多琉璃窰，專門燒製各種琉璃器具。清代更在工部裡，特地設置「琉璃廠監督」，漢滿各一人，負責爲宮廷製作各種琉璃器具。每年農曆正月初一到十七日，攤販麇集，出售古玩玉器等貨物。漸漸的，由攤而店，除了古玩店，碑帖、書籍店也陸陸續續都出現了。到了後來，書肆林立，琉璃廠遂成爲我國舊書薈萃的著名地方。

關於繆氏在琉璃廠購書的經過，在他的自訂年譜裡有很多的記載。例如：「光緒三年丁丑，陽文端家藏書全出，以千金購之。又購韓小亭家碑版揭本四大箱」。「光緒三十三年，年六十四，十月，偕陳善餘赴浙，購『八千卷樓』藏書，以七萬得之。」另外，夏孫桐所寫的〈繆藝風先生行狀〉，也談及他訪書的情形，說繆氏「暇即日涉海王村書肆，搜訪異本，典衣購取。」最有趣而詳細的，則是繆氏所寫的〈琉璃廠書肆後記〉一文。

爲什麼叫「後記」？原來在乾隆年間，李文藻（字素伯，號南磵，一作南澗）寫過一篇〈琉璃廠書肆記〉，到了光緒年間，廠肆又有不少變遷，所以繆氏特地寫了「後記」。繆氏在文前有一段小序，說明他寫這篇文章的原因，他說：

「益都李南澗大令〈書肆記〉，成於乾隆己丑，時四庫館開，文士雲集，四方書籍聚於輦下，爲國朝極盛之時，其中李氏所舉數十家，久已不存。余同治丁卯始上公車，至光緒丙子通籍，供職京師十九年，甲午與掌院徐中堂不合，投劾出都。己亥，購方柳橋書，留一月，未銷假。宣統庚戌，復應圖書館監督之徵，留京一年，而國變矣。四十餘年，暇輒與書估爲緣，綜計前後，爲〈琉璃廠書肆後記〉」。李、繆二記，現在已成爲研究中國舊書業的重要文獻。

根據繆文的記載，當日時常到琉璃廠訪書的，除了文人雅士外，還有不少的達官貴人，其中又以國子祭酒盛昱，在辭官後，時常到廠肆蒐訪。有一次，風聞次日將有外來書賈，攜來大批圖書，並將於次日五更開市。盛昱以曾任國子祭酒之尊，「襆被夜宿」。用現在的話說，就是帶著舖蓋到琉璃廠露宿，繆氏也一道露宿。結果，皇天不負苦心人，盛氏購得了宋刊本七十卷的《禮記注疏》、黃鶴注的《杜詩》，還有舊抄本《儒學警悟》。繆氏也購得舊抄本宋代余靖的《武溪集類編》、《長安志》等書。繆氏的友人沈曾植也購得馬天筡造象，原石榻本。沈曾植，字子培，號寐叟，別署乙公，光緒間進士，官至安徽布政使，支持康梁變法，當時也是天天到琉璃廠訪書的大官之一。沈氏藏書家樓叫「海日樓」，所藏頗富，宋元刊本近百種，也是有名的藏書家。

在繆文裡，特別記錄了當時書賈對圖書知識淵博和鑑別力的精審。例如：「寶文齋，主人徐氏蒼厓，年六十餘，目錄之學甚熟，猶及見徐星伯、苗仙麓、張碩舟、何子貞子愚諸先生，時說軼事」。「寶華堂、修文堂，均張姓，均能鑒別良楛」。「翰文齋，主人韓心源，受徐蒼厓之傳，先得益都李南澗藏書，再得內城李勤伯藏書，琳琅滿目，自擺攤至開鋪，自小鋪拓廣廈，不過數年，已與至大之書鋪鼎立。余之宋元本大半爲韓搜得，即《宋會要》亦得之此肆，不幸早世，其子子源繼起，亦有能名」。「正文齋譚氏，翰文之徒，庚子亂後，最有名，藏不全宋本數十種，種留一帙不售，云將留之以教生徒，有心哉！不幸早歿」。「勤有堂楊氏維舟，頗識舊書，爲予購書極多」。「寶森堂主人李雨亭，與徐蒼厓在廠肆爲前輩，曾得姚文僖公、王文簡公、韓小亭、李芝齡各家之書。所謂宋槧元槧，見面即識，蜀板閩版，到眼不欺，是陶五柳、錢聽默一流。嘗一日手《國策》與予閱，曰：『此宋板否？』余愛其古雅，而微嫌紙不舊。渠笑曰：『此所謂捺印士禮居本也。黃刻每葉有鐫工名字，捺去之未印入以惑人，通志堂《經典釋文》、《三禮圖》亦有如此者，裝潢索善價以備配禮送大老，愼弗爲所惑也』」。想想近來不論是臺北早年的牯嶺街、或現在的光華商場或北京的琉璃廠，能有如此功力的書賈，可能已是鳳毛麟角了。至於當時的書肆，大約有三、四十家。前幾年，筆者數遊琉璃廠，盛況固已不再，古書尤爲罕見，一般商店只賣些文房四寶而已，不勝唏噓。

繆氏的藏書，除了得自廠肆外，也有不少得自海外，光緒二十六、七年（西元一九〇〇年—一九〇一年），他應張之洞之招，擔任鍾山高等學堂監督，親赴日本考察學務，以爲借鏡。在日本期間，遍訪東西兩京的圖書館和藏書家，或抄寫、或購買，收穫不少。略微加以統計，他收藏的圖書，多達一萬八千餘種，金石收藏則有一萬一千餘種。

除了自己蒐藏圖書文物外，繆氏也對公共圖書館的藏書有所貢獻。繆氏到日本考察學務回國後，主持創辦江南圖書館。當時丁氏「善本書室」及「八千卷樓」的藏書有意出售，繆氏惟恐丁氏藏書像陸心源的藏書爲日本人購去，遂以七萬元購得丁氏藏書，以充實江南圖書館。宣統二年（西元一九一〇年），繆氏任京師圖書館正監督，他又在內閣大庫一大堆故紙裡，檢出元明舊帙和南宋所藏古籍，集刻爲《宋元本留眞譜》，把牒文、碑版、序跋等加以著錄。所以他對中國近代公共圖書館，也有不少貢獻。

繆氏不僅是一位藏書家，而且是一位大學者。張之洞的《書目答問》，是一般治文史者必讀的入門書目，收錄書目的精要，甄辨版本之精善，是此書的特色。而繆氏是此書的眞正執筆者（一說繆氏只協助撰寫）。繆氏的著作，還有《藝風堂文集》、《藝風堂文漫存》、《藝風堂金石目錄》、《續國朝碑傳集》、《常州詞錄》、《藝風堂讀書記》、《辛壬稿》、《乙丁稿》等。此外，他又把他藏書中較罕見的書，加上他所校勘過的，分別輯成了《雲自在龕叢書》、《藕香零拾》、《烟畫東堂小品》、《對雨樓叢書》等叢書。

他的藏書章，有「繆」、「荃孫」、「藝風堂」、「藝風審定」、「巷芬室」、「藝風珍秘」、「雲自在龕」、「雲輪閣」、「繆印荃孫」、「小珊三十年精力所聚」、「曾經藝風勘讀」、「荃孫手斠」、「繆荃孫藏」、「藝風堂藏書」、「江陰繆荃孫藏書印」、「江陰繆荃孫字炎之印」、「江陰繆氏藝風堂精鈔善本」等。

陵陽詩未見宋刻收臧家所儲皆鈔本荃孫初
得天蓋樓本鈔極舊破碎可厭讓与舊友梧
生監丞因將兩本互校各標佳處後又得書
曹倦圃本半葉八行行二十字首二兩卷相脈
屬空格於寫亦極謹嚴如原出於宋此本不如
也訛字謹改正 藝風
戊子十月用天蓋樓鈔本校 藝風

辛亥午月沈乙盦方伯囑刊陵陽倚松兩集爰為校正付梓
距戊子二十三年 荃孫年六十八矣老眼昏花所訂未知是否
乙盦正之 荃孫再識

〈說明文字〉這是繆荃孫在舊抄本《陵陽先生詩》（宋代韓駒撰）一書上所寫的跋。

熟悉書林掌故的葉德輝

清代的洪亮吉，在《北江詩話》一書裡，把藏書家分爲五等：第一等是「考訂家」，第二等是「校讐家」，第三等是「收藏家」，第四等是「賞鑑家」，最末一等是「掠販家」。也就是說，藏書家要能把所蒐藏的書當做學術資料用，「考訂」圖書的內容，「校讐」書中的訛誤，才能算是第一等的藏書家。如果把古書當作骨董欣賞，甚至以販賣古書賺錢，就等而下之了。

古書的「考訂」和「校讐」既然如此重要，於是研究古書的刊刻方法，刊刻的優劣及傳刻經過等等的學問，漸受學者重視，這門學問，叫做「板本學」。爲這門學問奠下理論基礎的，就是葉德輝。

葉德輝（西元一八六四年－一九二七年），字煥彬（也寫作奐份、煥份），一字漁水，號郋園，一號直山，自署朱亭山民、麗廔主人。清湖南長沙人。考取光緒十八年（西元一八九二年）進士，官吏部主事。後來回到家鄉，住在長沙蘇家巷。不久，湖廣總督張之洞任他主講湖北存古學堂分校及兩湖米捐局總稽查等職。

葉氏的藏書室叫「觀古堂」。他的藏書，一部分是先人所遺，多數則是他經數十年陸續蒐求而來。譬如他每次進京，都會到琉璃廠的書肆訪書，曾經在廠肆購得《皇清經解》的專本及單行本，也有初印的佳本。也先後向著名的藏書家洽購了些，像昆山顧氏、元和惠氏、嘉定錢氏的部分藏書，均歸葉氏。他還從長沙袁芳瑛的「臥雪廬」，購得珍貴的宋代和元代刊本。到民國初年，他的藏書已有十六萬卷，加上重本，則超過了二十萬卷。他在〈憶藏書〉一詩的附注裡說明他最得意的一些書，他說：「余藏書及四千餘部，逾十萬卷，重本、別本數倍于四庫。宋本以北宋膠泥活字本《韋蘇州集》，金刻《埤雅》、宋刻《南嶽總勝集》，南宋刻陳玉父本《玉臺新詠》爲冠。元刻以敖繼公《儀禮集說》、婺州本《荀子》、大德本繪圖《列女傳》、張伯顏本《文選》爲冠。」其中膠泥活字本《韋蘇州集》，雖然有人懷疑其可靠性，仍不失爲研究中國印刷史的重要材料。

葉氏由於蒐藏豐富，所經眼的圖書無數，並且熟悉書林掌故，寫成了《書林清話》（十卷）和《書林餘話》（二卷）二書。他把歷代刻書的特色、印書的紙張、刻書的字體、書本裝訂的方法、雕板的僞造、刻書的工價、抄書的工價、各地書坊的盛衰及藏書家印記之語等有關書林掌故，從事深入淺出的撰述，是中國討論印刷史的先驅，也是爲後日「板本學」這一門學術奠定理論基礎的第一本專門著作。

辛亥革命時，葉氏由於反對革命，避居湖南湘潭東南的朱亭山，有感於圖書購置及庋藏之不易，一方面完成了《觀古堂藏書目錄》（四卷），一方面撰成《藏書十約》，說明購書、藏書的十項要事。這十項是：購置、鑑別、裝潢、陳列、抄補、傳錄、校勘、題跋、收藏、印記。其中有不少見解很值得喜歡藏書的朋友及圖書館工作人員參考。

葉氏除了藏書，也校書、刻書。他所編刊的《觀古堂書目叢刻》十五種，一直是士林所重視的工具書，在學術界有其一定的貢獻。可惜的是他思想頑固，先是反對戊戌變法，又反對辛亥革命，其後又爲袁世凱復辟出力，加上在兩湖米捐局總稽查任內，被控搜刮錢財，在民國十六年四月間，共黨所引發的湖南農民暴動中，被列爲土豪劣紳，遭處死刑。

他的藏書章有：「德輝」、「煥彬」、「奐份」、「煥份」、「郎園」、「麗廔」、「奐份審定」、「德輝私印」、「葉印德輝」、「麗廔珍藏」等。

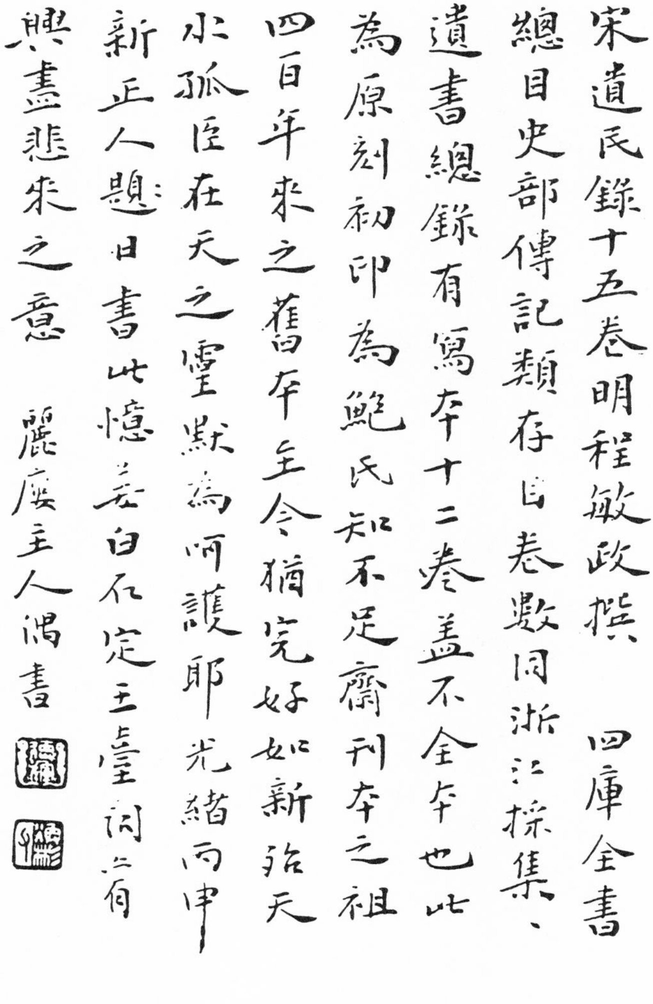
宋遺民錄十五卷明程敏政撰　四庫全書
總目史部傳記類存目卷數同浙江採集
遺書總錄有寫本十二卷蓋不全本也此
為原刻初印為鮑氏知不足齋刊本之祖
四百年來之舊本至今猶完好如新殆天
水孤臣在天之靈默為呵護耶光緒丙申
新正人題日書此憶昔白石定王臺閑閑有
興盡悲來之意　麗廔主人偶書

〈說明文字〉　葉德輝在明刊本《宋遺民錄》上所寫的題識。

以文化報國的張元濟

在古今衆多藏書家裡，除了致力收藏、保存文獻外，並能以廣大的胸襟，包容古今、中西文化，實際以文化事業，從事政治革新的，張元濟無疑是其中最傑出的一位。

張元濟（西元一八六六年——一九五九年），字筱齋，號菊生，一作鞠生，浙江省海鹽縣人。他的祖先，有不少是著名的藏書家。十世祖張奇齡，在明朝萬曆年間中過舉人，藏書甚富，在海鹽縣城南三里一個叫「烏夜村」的地方蓋了一座藏書樓，取名「涉園」，可能是用晉代詩人陶淵明〈歸去來辭〉中「園日涉以成趣，門雖設而常關，策扶老以流憩，時矯首而遐觀」的意思。九世祖張惟赤，字桐孩，號螺浮。清順治十二年（西元一六五五年）進士，歷官刑科給事中。三藩之亂，不同意履畝加稅的主張，辭官退隱。惟赤一方面繼續充實藏書，一方面把

「涉園」美化成林泉勝地，每逢好友來訪，就把所藏祕籍取出，與好友共同討論。根據清代吳騫所寫〈涉園修禊記〉一文的敘述，當日的「涉園」，「亭池林木之勝，甲於東南」，可想見其景物之美。惟赤著有《涉園張氏書目》，書中每書說明放在第幾架、第幾層，以便索取。藏書章有「涉園主人鑒藏」、「海鹽涉園張氏守白齋珍藏書畫之章」等，著有《螺浮奏議》、《思退軒集》等書。傳到了六世祖張宗松，「涉園」的藏書，益加豐富。宗松，字青在，一字楚良，又字蠖廬。國學生，少年時作有「隔水一牛橫笛去，盤雲隻鴿帶鈴來」之詩句，爲海寧楊性夫所欣賞，把女兒嫁給他。所藏除圖書外，也有不少精美的鼎彝。藏書章有「張氏松下圖書」、「張氏研古樓藏書」等。可惜道光以後，家道中落，藏書逐漸出售，太平天國之役，「涉園」也燬於兵火，藏書及刻版孑然無遺。所以到了張元濟，先人的藏書，實際上一無所有，而張元濟的藏書樓及讀書札記，都仍用「涉園」，含有緬懷先人之意。

張元濟爲了恢復先人的藏書盛業，一方面大量購書，一方面尤留心先人散出的舊藏。凡是看到鈐有「古鹽張氏」、「宗橚」、「詠川」、「佩蒹」（都是元濟的族祖）等印記的，都不惜高價購回。

張氏爲人稱道的，不僅在勤蒐文獻而已，他以文化事業報效國家的雄心壯志，更是令人敬佩。

元濟於清代光緒十八年（西元一八九二年）考取進士，同榜的知名人士，還有後來當了北京大學校長的蔡元培先生和著名的藏書家葉德輝等。張氏先是授翰林庶吉士，後來改任刑部主事，又再到總理衙門從事文書工作。爲了工作需要，他開始學習英文。由於閱讀西洋著作，於是有了西方的進步思想。所以他主張變法圖強。他一方面在北京創設「通藝學堂」，講授英文、數學，培養翻譯人才；一方面積極支持梁啓超在上海創辦的《時務報》，鼓吹革新。在戊戌變法運動中，他和康有爲曾在同一天蒙光緒皇帝召見。後來，維新運動失敗，張氏受到「革職永不敍用」的處分。於是他到了上海。

到了上海後，他先是應南洋公學的聘請，管理該校的「譯書院」，這時，他深切體認到要革新圖強，根本之道只有提昇國民的知識水準，於是他在光緒二十九年（西元一九〇三年），進入當時以出版新書及翻譯西洋著作而著稱的商務印書館。此後，一直到他於一九五九年以九十三歲的高齡去世為止，他整整在商務印書館工作了五十七年。

張元濟進入商務印書館，起初是擔任編譯所所長。編譯所的工作，主要是翻譯政治、科技方面的西洋著作及編輯適用於中小學的新式教科書，其中像《漢譯世界名著》和《自然科學小叢書》等，都是當時所編印的，對我國的科學教育和中西文學的交流，有很大的貢獻。另一方面，他覺得「知新」固然重要，而「溫故」也同樣重要，於是他把編譯新書的工作，交給了一批年輕人，自己則開始從事古籍的整理工作，為以文化事業促進政治革新的理想，從事更紮實、更本土化的工作。

他為了提高出版品的水準，認為先要有一所藏書豐富的圖書館，專供編輯同仁參考，於是在光緒三十年（西元一九〇四年），在商務印書館成立了一座圖書館，叫做「涵芬樓」。

「涵芬樓」的藏書，共分八個部分：一、舊書；二、教科書及教科參考書；三、東文書；四、英文書；五、日報、雜誌、章程；六、地圖、掛圖、雜畫；七、照片、明信片；八碑帖。其中舊書部分，有宋元明的舊刊本和珍貴的抄本。這些善本書，一部分是購自書肆，一部分則向當時著名的藏書家洽購，如以八萬元收購歸安陸氏「皕宋樓」的藏書，其他如會稽徐氏的「鎔經鑄史齋」、北京盛氏的「意園」、廣東丁日昌的「持靜齋」以及太倉顧氏、溧陽端氏、江陰繆氏、巴陵方氏、荊川田氏、南海孔氏、海寧孫氏、烏程蔣氏、楊州何氏等藏書，都有一部分賣給了「涵芬樓」，藏書多達十多萬册。後來「涵芬樓」更名爲「東方圖書館」，對外開放，但這些善本書，仍放在上海寶山路商務印書館的三樓「東方圖書館」的一角，仍名爲「涵芬樓」。「涵芬樓」訂有「借閱圖書規則」，一般的圖書，編譯所的同仁可以照規定的手續借閱參考，但對於善本書，則須經由「總編譯長特別認可」，才可借閱。可見張氏對這批善本書的珍愛。

張元濟爲了使這些珍貴的古籍，得以化爲萬千書種流傳，好讓學術界人士運用研究，就以這些珍本爲基礎，再遍訪海內外公私藏書，包括日本岩崎氏的「靜嘉堂」和國內的「國立北京圖書館」等的藏書，輯印了大部頭的《涵芬樓祕笈》、《四部叢刊》、《續古逸叢書》、《百衲本二十四史》、《道藏》、《續道藏》、

《道藏舉要》等。其中又以《四部叢刊》的篇幅最鉅，收錄的種類最多，也深受士林所重視，可以說是繼《四庫全書》後，最大的一部綜合性叢書。

《四部叢刊》先後共輯印了三次，分別以《初編》、《續編》、《三編》爲名。《初編》從民國八年開始輯印，到民國十一年全部出版，共收書三百二十三種，八千五百四十四卷（其中三種不分卷）。所根據的底本，除「涵芬樓」的珍藏外，還遍訪海內外二十五家公私藏書的珍本，像烏程劉氏的「嘉業堂」、常熟瞿氏的「鐵琴銅劍樓」、長沙葉氏的「觀古堂」、江陰繆氏的「藝風堂」、無錫孫氏的「小淥天」、江安傅氏的「雙鑑樓」、烏程張氏的「適園」、烏程蔣氏的「密韻樓」、平湖葛氏的「傳樸堂」、上元鄧氏的「群碧樓」、南陵徐氏的「積學齋」、閩縣李氏的「觀槿齋」、秀水王氏的「二十八宿研齋」、常塾歸氏的「鐵網珊瑚人家」、日本岩崎的「靜嘉堂」及「江南圖書館」（後改爲「江蘇省立國學圖書館」）、「國立北平圖書館」等所藏的善本書，都有一部分借給張氏影印。民國十五年重印《初編》，抽換了二十一種版本，仍是三百二十三種，卷數增加到八千五百七十三卷。

民國二十三年，張氏又繼續蒐輯宋元精刊本，輯爲《四部叢刊續編》，收書八十一種，一千四百三十八卷。民國二十五年，又輯印《四部叢刊三編》，收書七十三種，一千九百一十卷。《四部叢刊四編》，則只印行一小部分。

《四部叢刊》印行的時候，張元濟寫了一篇〈印行四部叢刊啓〉，說明他編輯這套叢書的旨趣。他說：「睹喬木而思故家，考文獻而愛舊邦，知新溫故，二者並重。自咸同以來，神州幾經多故，舊籍日就淪亡；蓋求書之難，國學之微，未有甚於此時者也。上海涵芬樓留意收藏，多蓄善本，同人慫恿景印，以資津逮；間有未備，復各出公私所儲，恣其搜擥，得於風流闃寂之會，成此《四部叢刊》之刻，提挈宏綱，網羅巨帙，誠可云學海之鉅觀，書林之創舉矣！」

近年筆者二度到大陸訪書，買到一本北京王府井大街商務印書館出版的《商務印書館大事記》，其中摘錄了茅盾〈商務印書館編譯所〉一文中評論張元濟的一段話：「在中國的新式出版事業中，張菊生確實是開闢草萊的人。他不但是個有遠見、有魄力的企業家，同時又是一個學貫中西、博古通今的人。」的確，他是中國傳統的藏書家中，能以出版事業對國家做出具體貢獻的第一人。

張氏的藏書章，有「張印」、「菊生」、「元濟」、「涉園」、「涉園主人」等。

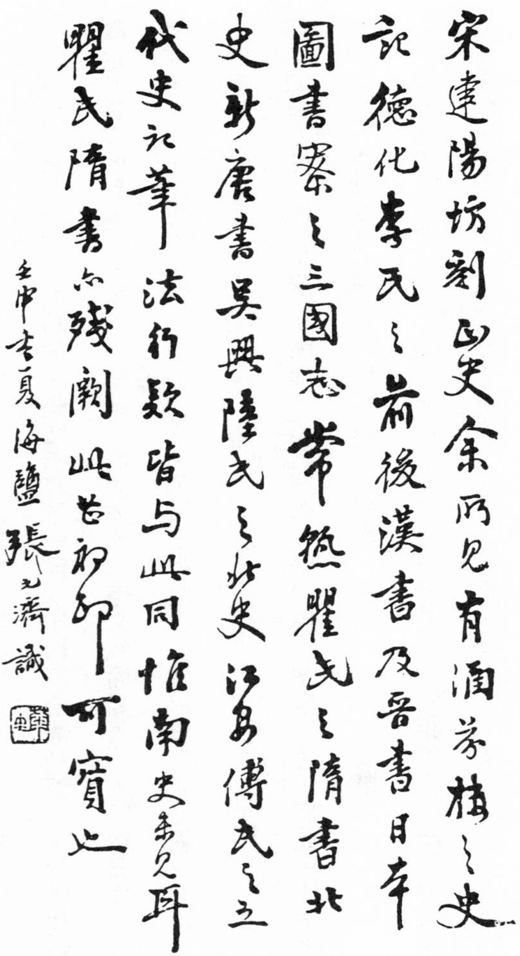
宋建陽坊刻正史余所見有涵芬樓之史
記德化李氏之前後漢書及晉書日本
圖書寮之三國志常熟瞿氏之隋書北
史新唐書吳興陸氏之北史江安傅氏之五
代史記筆法行款皆與此同惟南史未見耳
瞿氏隋書亦殘闕此尤初印可寶也
壬申孟夏海鹽張元濟識

〈說明文字〉這是張元濟在宋紹熙建刊本《隋書》上所寫的題記。

蒐羅鄉邦文獻的王獻唐

山東是孔子、孟子的家鄉，人才輩出，文物薈萃。曾任山東省立圖書館館長的王獻唐先生，是近世蒐羅山東文獻最力的著名藏書家。

王獻唐（西元一八九六年—西元一九六〇年），山東日照人，初名家駒，後改名琯，字獻唐，以字行。號鳳笙，也寫作鳳夫、鳳生、鳳南。家居大明湖畔，晚年自號「向湖老人」，取永遠心向大湖之意。他藏書、讀書的處所叫「雙行精舍」、「顧黃書寮」。民國八年（西元一九一九年），獻唐先生二十三歲，那一年，他父親去世，頓悟死生無常，撰〈人生之疑問〉一文，並改治佛學，所以用「精舍」名讀書的地方。民國十九年（西元一九三〇年）八月，他得到黃丕烈手校的《穆天子傳》及顧廣圻手校的《說文繫傳》，這兩部書都是山東「海源閣」的故物，王氏視同珍寶，於是把書室取名爲「顧黃書寮」。對日抗戰時，他把圖書遷到四川，不畏空襲的危險，保護圖書，須臾不離，又把書齋取名「那羅延室」。「那羅延」是梵語，本來是佛經裡天上力士之名，意爲端正猛健、堅牢不破之意，王獻唐先生以之爲室名，也就是要堅守齊魯文物，永不受損壞。此外，他還有幾個室名，如「五燈精舍」、「木石盦」、「明㡒」、「泮廬」、「虹月軒」等，大致都和所居環境有關，譬如「木石盦主」命名於民國四十年（西元一九五一年），時寓濟南鞍山，當地盛產木石，因此取名「木石盦主」。

王獻唐先生酷愛藏書，淵源於家學。他的父親王廷霖，精通岐黃之術，又酷愛金石圖書，王獻唐先生自幼耳濡目染，養成了蒐藏金石圖書的興趣。

民國十八年，王氏僅三十三歲，就膺任山東省立圖書館館長。他銳意蒐羅鄉邦文獻，舉凡圖書、鐘鼎彝器、泉幣、鉥印、封泥、甎瓦、石刻、書畫等，都廣爲訪求。在館裡，闢設專室「羅泉樓」，陳列歷代錢幣；並建「奎虛書藏」，弆藏圖書。又傳佈館藏文物，山東省立圖書館的名聲，爲之大振。梁啓超曾譽之爲除國立北京圖書館外，全國最佳的圖書館。

爲什麼把山東省立圖書館的藏書處所取名「奎虛書藏」呢？原來這和天文星

座有關。古代認爲天上可分爲二十八個星宿，一個星宿，就是一個星空區域。這二十八個星宿的名稱是：角、亢、氐、房、心、尾、箕、斗、牛、女、虛、危、室、壁、奎、婁、胃、昴、畢、觜、參、井、鬼、柳、星、張、翼、軫。《史記・天官書》說：「天則有列宿，地則有州域」。根據這個說法，古人又把二十八宿和地上的州域連繫起來，換句話說，如果要瞭解某個州域的情形，只要觀察分屬該州域（國）的星宿就可以了。根據《淮南子・天文訓》的說法，角、亢星宿的分野是鄭國，氐、房、心星宿的分野是宋國，尾、箕星宿的分野是燕國，斗、牛星宿的分野是越國，女星宿的分野是吳國，虛、危星宿的分野是齊國，室、壁星宿的分野是衛國，奎、婁星宿的分野是魯國，胃、昴、畢星宿的分野是魏國，觜、參星宿的分野是趙國，井、鬼星宿的分野是秦國，柳、星、張星宿的分野是周國，翼、軫星宿的分野是楚國。山東是古代齊、魯兩國的地區，屬於奎、虛星宿的分野，所以取名爲「奎虛書藏」。

王氏對山東文獻的另一貢獻，則是對「海源閣」藏書的搶救與整理。「海源閣」是清代道光年間山東聊城藏書家楊以增（西元一七八九年—一八五五年）的藏書樓。楊氏字益之，號至堂，別號東樵。道光二年（西元一八二二年）進士，爲官重教化，人們稱譽他有「兩漢循吏風」，官做到兩湖河道總督。取「涉學海而能得其源」之意，建「海源閣」以藏書。儲有十餘萬卷珍本。樓上藏宋元刊本之精者，樓下爲較常見的宋、元、明版和清初刊本、殿本、手抄本，拓片、古物、字畫等則貯於閣的後院，共五個房間。另闢「宋存書屋」，專儲宋元兩代刊本，其中藏有宋刊本《詩經》、《尚書》、《春秋》、《儀禮》、《史記》、《漢書》、《後漢書》、《三國志》，所以又稱其室爲「四經四史之齋」。民國十九年（西元一九三〇年）被軍閥土匪搶掠，圖書流失不少。王獻唐先生撰文呼籲搶救，並到聊城組「海源閣藏書清查委員會」，從事整理，這些圖書，遂得免於全部散亡，後歸濟南市圖書館典藏。王氏並撰成〈聊城楊氏海源閣藏書之過去現在〉一文，詳記其事。

民國二十六年（西元一九三七年），抗日戰事發生，濟南危在旦夕。王獻唐先生擬遷圖書文物於遠省，以維護文物的安全，可是當時館中同事多已請假，而且津浦火車日日遭敵機轟炸，非常危險。一天，王獻唐先生告訴當時任職編藏部主任的先師屈萬里（字翼鵬）先生說：「本館爲吾山東文獻所薈萃，脫有不測，吾輩將何以對齊魯父老？擬就力之所及，將比較珍秘者十箱，移曲阜至聖奉祀官府。顧此事重要，可以肩其任者，惟余與子耳。津浦車時遇敵機攻擊，往即冒險，然欲爲吾魯存茲一脈文獻，又不容苟辭。子能往，固善，否則余當自往」。屈先生聽了這番話，不計道途之艱險，慨然請行，願與此纍纍十箱文物共存亡。二十六年十月十二日晚出發，先是到曲阜，濟南緊張後，輾轉到了漢口，然後再到四川，已是次年春天了。所遷運的文物，計有金石器物七三四品；圖書四三八種二六五九册，又一八三卷；字畫一三八件。屈先生特地撰寫〈載書飄流記〉一文，詳述其艱辛過程。王獻唐先生曾撰四首絕句冠諸篇端，並有一段〈跋〉。四首絕句是這樣的：「心力拋殘意漸狂，十年柱下詡多藏；可憐一炬奎樓火，不待銅駝已斷腸」。「悮國十年是此君，倒行獨自說忠懃；華林玉軸干何事，一例樓頭哭降雲」。「故家喬木歎陵遲，文獻千秋苦自支；薪火三齊留一脈，抱殘忍死待明夷」。「酒入愁腸日作芒，回頭忍淚說滄桑；夜來展讀西臺記，一覺闇浮夢已涼」。〈跋〉是這樣的：「去冬敵陷魯地，余與翼鵬道兄運圖書館文物入川，辛苦備嘗，所撰〈載書飄流記〉，皆實錄也。竭兩夜力籀讀一過，題四截句冊耑，亦長歌當哭之意。君在曲阜，嚴稽文獻，旁及輿地，皆精确縝密，足備掌故，異日修志者當有取於斯，不祇作《金石錄・後敘》觀也」。屈翼鵬先生來臺後，先後任國立臺灣大學中國文學系教授、中央研究院歷史語言研究所所長，並膺選中央研究院院士。這篇〈載書飄流記〉，於民國六十五年（西元一九七六年）十二月發表於《山東文獻》，成爲我國圖書館史的重要文獻。

王氏的藏書章有「王獻唐」、「獻唐」、「獻唐題記」、「獻唐手校」、「敝帚自享」、「王獻唐讀書記」、「顧黃書寮」、「雙行精舍鑑藏」、「校經閣」、「三家邨人」、「百漢印齋」、「皕漢印齋」等。

（後記）此文撰寫時，承東吳大學教授丁原基博士檢示資料，謹此致謝。丁博士游學於余多年，其博士論文爲《王獻唐先生之學術》，由孔達生（德成）先生指導。

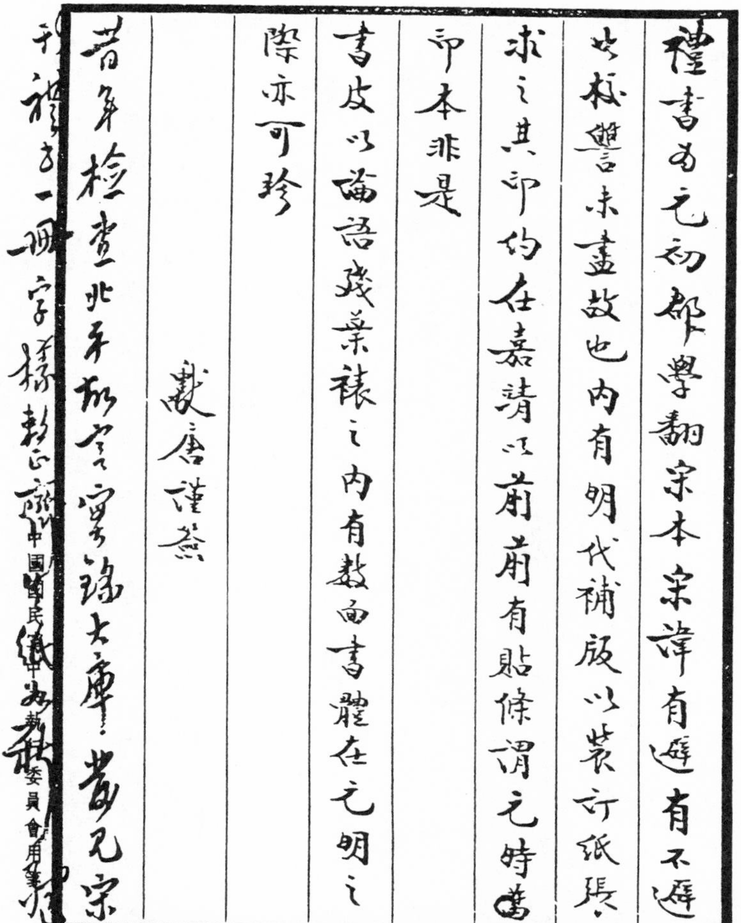
禮書為元初郡學翻宋本宋諱有避有不避
也板譽未盡故也內有明代補版以裝訂紙張
求之其印約在嘉靖以前 前有貼條謂元時舊
印本非是
書皮以論語殘葉襯之內有數面書體在元明之
際亦可珍
獻唐謹簽
昔年檢查北平故宮實錄大庫嘗見宋
刊禮書一冊字樣彭正

〈說明文字〉這是王獻唐先生在元至正七年福州路儒學刊明代修補本《禮書》（宋代陳祥道撰）一書上所寫的題記。

國家圖書館出版品預行編目資料

認識古籍版刻與藏書家

劉兆祐著. – 初版. – 臺北市：臺灣學生，
2007 [民 96]
面；公分（中華民國中山學術文化基金會中山文庫）

ISBN 978-957-15-1354-6 (平裝)

1. 版本
2. 私家藏書 – 中國 – 傳記

011.5 96007202

中華民國中山學術文化基金會中山文庫

認識古籍版刻與藏書家

主編：劉真
著作者：劉兆祐
發行人：盧保宏
發行所：臺灣學生書局有限公司
臺北市和平東路一段一九八號
郵政劃撥戶：〇〇〇二四六六八號
電話：(〇二)二三六三四一五六
傳真：(〇二)二三六三六三三四
E-mail:student.book@msa.hinet.net
http://www.studentbooks.com.tw
本書局登記證字號：行政院新聞局局版北市業字第玖捌壹號
印刷所：長欣印刷企業社
中和市永和路三六三巷四二號
電話：二二二六八八五三

定價：平裝新臺幣三五〇元

中華民國九十六年五月初版

01115

ISBN 978-957-15-1354-6 (平裝)